SYLVIE RO

Dans la tête de Marguerite

Illustration de couverture : R. Binette

ado et compagnie

*À ce petit garçon autiste
qui m'a profondément émue, il y a plusieurs années,
et dont je garde un souvenir bouleversant.*

Je suis une micropoussière d'étoile. Une minuscule particule d'énergie, issue de l'éternité et projetée dans l'infini. Je parcours d'innombrables galaxies, je croise des milliards de planètes. Aucune ne ressemble à celle vers laquelle je file, dissimulée dans la chevelure diffuse d'une comète.

Soudain je l'aperçois, toute bleue dans la noirceur de l'univers sidéral, si vulnérable et redoutable à la fois. Je m'enflamme aussitôt et je plonge vers mon destin.

Ma chute a tracé une longue courbe lumineuse dans la voie lactée, marquant la fin de mon voyage intemporel. Dès que je m'incarnerai, je perdrai toute mémoire de mes vies antérieures.

— Oh ! Regarde, Mathieu… une étoile filante !
— Ferme les yeux, Sophie, et fais un vœu.
— …

— Nous l'appellerons Marguerite.
— Et si c'est un garçon ?
— Ce sera une fille.

Chapitre un

— AAAAHHHHHHH !

Je hurle comme une enragée pour couvrir les bruits incohérents qui déferlent à l'intérieur de ma tête. J'ai beau lancer des coups de pieds, me rouler par terre, impossible de m'extirper de ce corps dont je suis prisonnière. Alors, je ferme les yeux, je serre les dents et j'attends. Chaque seconde qui passe a le poids de l'éternité.

Tel un oisillon abandonné qui agite avec frénésie ses ailes, je bats l'air de mes mains jusqu'à ce que les dernières ombres qui avaient envahi ma tête se dispersent en longs rubans de fumée.

Peu à peu, le calme revient. La crise est terminée. Je refais surface, épuisée. Je suis assise sur le plancher et je me berce en balançant mon corps d'avant en arrière.

J'évalue les dégâts. Quel fouillis ! Mes souvenirs en lambeaux se sont éparpillés. Des images en vrac errent derrière mes paupières closes. J'essaie tant bien que mal de les saisir au vol. Je réussis à récupérer la majorité d'entre elles et j'entreprends patiemment de les classer.

Certaines scènes sont demeurées intactes, comme si elles venaient tout juste de se dérouler. Elles font vibrer en moi des émotions identiques à celles que j'ai ressenties au moment où j'ai vécu ces événements. C'est le cas de ma première rencontre avec Rose. D'autres sont si abîmées que je ne les reconnais pas. Si je ne parviens pas à les restaurer, elles disparaîtront et je ne pourrai plus jamais les évoquer. Je dois à tout prix éviter cela.

Il s'agit d'un travail délicat qui nécessite toute ma concentration. Il faut aussi beaucoup de temps pour l'accomplir correctement, mais je ne suis pas pressée. Avec précaution, je dépose dans le grand coffre de ma mémoire chacune des images que j'ai réussi à récupérer. Lorsque tout est bien rangé, je ferme en douceur le couvercle, je tourne la clef et j'ouvre les yeux.

Je me suis enfuie de chez moi pendant que mon père était occupé à tailler la haie de cèdres, derrière la maison.

Monsieur Leclerc et sa femme, nos voisins d'en face, savent que je n'ai pas le droit de sortir toute seule. Ils étaient à bord de leur voiture quand ils m'ont aperçue, à quelques coins de rue de la maison, alors que je me dirigeais vers le parc où je vais souvent pique-niquer avec papa.

Monsieur Leclerc a klaxonné à deux reprises et sa femme a cherché elle aussi à attirer mon attention, en criant par la vitre ouverte :

— Marguerite !

J'ai fait comme si je n'avais rien entendu et j'ai poursuivi mon chemin, la tête baissée. Il y a eu un claquement de portière, puis un autre, qui ont résonné tous deux comme des coups de feu dans mes oreilles.

Il fallait que j'échappe aux bruits des pas qui martelaient l'asphalte, dans mon dos. J'ai marché un peu plus vite et, quand j'ai senti qu'ils étaient sur le point de me rattraper, je me suis mise à courir. Les pas ont accéléré, eux aussi, et monsieur Leclerc a crié aux cyclistes qui roulaient sur la piste longeant le trottoir :

— Arrêtez-la !

Un passant m'a barré la route. Je l'ai repoussé de toutes mes forces et je suis tombée par terre. D'autres personnes se sont approchées. Elles ont formé un cercle autour de moi.

J'ai fermé les yeux et j'ai hurlé à plein poumon afin de briser l'étau menaçant que je sentais se refermer sur moi :

— AAAAHHHH ! AAAAHHHH ! AAAAHHHHHHH !

— Il faut appeler le 9-1-1, a lancé quelqu'un, cette fille est complètement hystérique.

— Ce ne sera pas nécessaire ! Je suis son père, je m'en occupe.

Les curieux se sont dispersés et papa m'a ramenée tant bien que mal à la maison, où il a patiemment attendu que la tempête s'apaise dans ma tête.

À quatorze ans, je n'en suis pas à ma première fugue. Ça m'est arrivé à quelques reprises depuis que je suis née. Je ne peux pas expliquer pourquoi cette irrésistible envie d'être ailleurs s'empare soudain de mon corps et me pousse à m'enfuir.

Il y a deux ans, ce sont des policiers qui m'ont retrouvée. C'est arrivé pendant que papa était parti faire des courses. Rose était dans la cuisine et moi, j'étais assise devant la télé, en train de regarder mon émission préférée : un jeu questionnaire qui oppose deux équipes. Les participants doivent répondre à des questions qui font appel à leurs connaissances générales et à leur sens de l'observation. Parmi les épreuves proposées, il y en a une qui consiste à identifier un objet à partir d'une image décomposée. Je suis très forte à ce jeu. Je l'attends toujours avec impatience.

Dès l'instant où les pièces du casse-tête sont apparues à l'écran, j'ai reconnu les dents pointues de l'outil que mon père utilise pour ramasser les feuilles mortes, sur la pelouse :

— Râteau ! Râteau !

Soudain, de manière aussi brutale qu'inattendue, c'est arrivé. Tout ce qui m'entourait dans le sous-sol de notre maison m'est devenu étranger. Au milieu de cet environnement anonyme, il n'y avait plus de place pour moi.

Il fallait que je parte, que j'échappe au malaise, à l'angoisse, à l'étouffement.

Telle une somnambule, j'ai monté l'escalier, je suis passée devant la cuisine, j'ai traversé le couloir sans faire de bruit, j'ai ouvert la porte d'entrée et je suis sortie.

J'ai suivi le trottoir et j'ai marché, longtemps... longtemps... longtemps... en comptant avec application les lignes qui séparent les dalles de ciment.

Après un moment, j'ai pris conscience qu'il y avait des gens autour de moi, mais je n'ai pas eu peur parce qu'aucun d'eux ne m'adressait la parole. Ça m'a rassurée de constater que personne ne remarquait ma présence. J'ai emboîté le pas de l'homme qui marchait devant moi et j'ai continué d'avancer en gardant mes yeux rivés sur les talons de ses chaussures de sport blanches.

J'ai traversé sans problème toutes les intersections. Je calquais mes mouvements sur ceux des autres piétons. Je m'arrêtais dès qu'ils s'immobilisaient aux coins des rues. Je repartais en même temps qu'eux, aussitôt que les feux de circulation passaient du rouge au vert.

Je commençais à avoir mal aux pieds, mais il m'était impossible de m'arrêter parce qu'il y avait toujours un nouveau trottoir, une nouvelle avenue devant moi. Je devais absolument me rendre jusqu'au bout de cette interminable route qui n'en finissait pas de s'allonger. Je ne pouvais pas rebrousser chemin.

Tout à coup, j'ai aperçu une petite plume rose qui virevoltait avec légèreté, à quelques centimètres à peine au-dessus du sol. Je me suis lancée à sa poursuite et, après plusieurs tentatives infructueuses, j'ai réussi à l'attraper. Elle était si douce, comme un duvet de poussin. Je l'ai promenée sur ma joue, sur mon front. C'était très agréable.

Quand j'ai voulu reprendre ma route, le décor n'était plus le même. J'étais entrée par mégarde dans une étroite ruelle, encombrée de poubelles nauséabondes et de boîtes en carton remplies à ras bord de déchets et empilées les unes sur les autres. Alerté par ma présence, un chat a miaulé, suivi d'un grognement sourd et d'un tonitruant :

— Ta gueule, Doris !

Il y a eu un lourd silence durant lequel les battements accélérés de mon cœur ont résonné douloureusement dans mes oreilles. Puis, la voix caverneuse a retenti une seconde fois :

— C'est qui ?

J'ai répété tout bas :

— C'est qui ?

La pile de boîtes en carton a basculé avec fracas et une sorte d'épouvantail hirsute a surgi devant mes yeux écarquillés par la peur. Il portait un long manteau très sale et tenait en laisse un chien trapu qui grognait férocement, les babines retroussées sur d'énormes crocs.

— Quessé q'tu fais icitte, toé ? T'é pas chez vous. Sacr'ton camp !

J'ai baissé les yeux pour échapper à cette épouvantable vision et j'ai répété :

— C'est qui ?

L'homme a tiré sur la grosse corde qui servait de laisse à son chien.

— Couché, Doris!…Tu voé ben q'c'est pas un flic.

Comme l'animal refusait de lui obéir, il lui a flanqué un coup de pied dans les côtes.

— J'AI DIT COUCHÉ!

La chienne a gémi et elle s'est aussitôt aplatie sur le sol, la queue repliée entre les pattes. L'homme s'est approché de moi en titubant. Il a tenté d'adoucir sa voix :

— T'aurais pas du p'tit change pour moé? J'ai pas mangé à matin.

L'odeur forte qui se dégageait de ses vêtements sales, un mélange d'urine, de tabac et d'alcool, m'a fait reculer d'un pas. De nouveau, j'ai répété :

— C'est qui?

L'homme s'est mis à ricaner.

— Cé moé… la fée des étoèles!… Tu m'r'connà pas?

De toute évidence, il attendait une réponse, mais comme celle-ci ne venait pas, il a laissé tomber :

— Ouais, ben… ça tourne pas rond dans ta tête, toé… Faut pas qu'tu rest'icitte… C'pas une place pour toé. Envoye… décampe!

Je voulais désespérément échapper à la puanteur de cette ruelle, mais mon affolement m'empêchait de réfléchir.

Voyant que je ne réagissais toujours pas, l'homme a posé ses grosses mains sur mes épaules. D'un geste rapide, il m'a fait pivoter sur moi-même et m'a poussée pour m'obliger à faire un pas vers l'avant.

Soudain, j'ai visualisé nettement ce que je devais faire. Mon corps a accepté de m'obéir et j'ai couru en direction de la rue, abandonnant à leur triste sort la pauvre chienne qui aboyait et son maître qui tentait sans succès de la faire taire.

— J'AI DIT TA GUEULE, DORIS!

En sortant de la ruelle, j'ai reconnu tout de suite le long trottoir que j'avais suivi jusque-là. Le cœur battant, je me suis remise en marche et j'ai traversé de nouvelles intersections, la petite plume rose toujours emprisonnée dans ma main moite.

Les rues sont devenues de plus en plus larges, de plus en plus bruyantes; le trottoir, de plus en plus encombré de passants pressés. J'ai tenté de me protéger du tapage qui devenait insupportable en entourant ma tête avec mes deux bras. Une dame s'est approchée de moi. Elle m'a dit quelque chose, mais je n'ai rien compris. Je crois qu'elle parlait une langue étrangère, ou bien c'est à cause de son accent qui ne m'était pas familier. Ça m'a énervée. Je l'ai repoussée et je suis partie en courant, sans prêter attention aux gens que je bousculais au passage.

Soudain, j'ai senti que quelqu'un agrippait fermement mon bras. Affolée, je me suis débattue en vain pour échapper à cette étreinte.

— N'aie pas peur, je ne te veux pas de mal. Quel est ton nom, ma grande?

— ...

C'était un policier. J'ai reconnu son uniforme. Avec douceur, il m'a entraînée vers une autopatrouille stationnée en bordure du trottoir et m'a fait asseoir sur la banquette, avant de prendre place sur le siège avant. J'étais à la fois rassurée par le ton bienveillant de sa voix, qui me rappelait celle de papa, et terrifiée par les gyrophares qui lançaient des éclairs rouges et bleus à la ronde.

Un autre policier, derrière le volant, s'est retourné pour m'observer. Puis, il a consulté l'écran d'ordinateur à sa droite et a énuméré :

— Une douzaine d'années, cheveux châtain clair, yeux bleus, environ un mètre cinquante, jeans noir et t-shirt bleu pâle : ça correspond à la description. Je contacte la centrale pour les informer que nous l'avons retrouvée.

Le visage éclairé par un large sourire, le premier policier m'a lancé :

— Un bon gros cornet de crème glacée, ça te ferait plaisir, Marguerite ?

Chapitre deux

Je suis autiste.

Mon univers ne ressemble en rien à celui des filles de mon âge. Je vis en permanence dans une sorte d'apesanteur, à l'abri du temps et de l'espace, dans le silence rassurant de la solitude.

Enfermée dans mon enveloppe corporelle, comme un astronaute dans sa capsule, j'ai érigé autour de moi une barricade qui tient les gens à distance et me protège tout à la fois.

Je supporte mal les contacts physiques. Quand on me touche, je deviens nerveuse. On dirait que mon corps ne m'appartient plus. Ça me terrifie d'imaginer qu'une autre personne puisse exercer un contrôle sur lui, alors que je suis moi-même incapable de le maîtriser.

J'entre difficilement en conversation avec les autres. En fait, je ne réalise pas toujours qu'on s'adresse à moi. Si la distance qui me sépare de quelqu'un est trop grande, je ne remarque pas sa présence. Et même si la personne se trouve à côté de moi, mon père doit attirer mon attention pour que je lui réponde, souvent de façon mécanique, en choisissant bien les formules de politesse qu'il m'a apprises :

— Bonjour, Marguerite. Comment vas-tu ?

— …

— Dis bonjour, Marguerite.

— Bonjour.

— Ça va bien ?

— …

— Réponds à la dame, Marguerite.

— Bien… merci.

Papa m'a répété des centaines de fois qu'on doit toujours regarder les gens dans les yeux quand on leur parle, mais moi, ça me donne la chair de poule. J'ai peur que le regard des autres aspire mes pensées. C'est pour cela que je garde les yeux baissés. De cette façon, je peux me concentrer sur leur voix.

Chaque voix a sa particularité. Celle de papa est douce, calme et rassurante. Elle évoque le chocolat chaud et les crêpes dorées.

Celle de Rose était pétillante, multicolore et légère, comme une bulle de savon. Elle me remplissait de lumière.

Ma propre voix est tantôt trop forte, tantôt si faible que ceux qui m'entourent doivent tendre l'oreille pour entendre ce que je dis. Je ne le fais pas exprès, c'est comme ça.

— Cela fait partie de la personnalité de Marguerite, maintient papa devant ceux qui croient que je suis attardée.

J'ai déjà essayé de contrôler ma voix, de retenir les sons qui enflaient dans ma gorge. J'ai eu l'impression de m'étrangler.

C'était terrifiant.

Je n'ai jamais réessayé.

La plupart des gens parlent à toute vitesse. La quantité prodigieuse de paroles qui s'échappent de leur bouche me donne le vertige. Au bout de quelques secondes, je perds le fil de la conversation et, quand c'est à mon tour de prendre la parole, les pensées que j'avais patiemment réussi à formuler dans ma tête ont fondu comme neige au soleil.

C'est très frustrant. Alors, j'ai développé un super truc, une stratégie, pour employer un mot que papa utilise souvent. Quand on me pose une question, je la répète plusieurs fois à voix haute. Ça me donne un peu de temps pour fouiller parmi mes souvenirs en vrac afin de dénicher celui qui me permettra de répondre de manière correcte. C'est un véritable casse-tête qu'il me faut reconstituer. Je n'arrive pas toujours à trouver les pièces manquantes et il y a souvent un écart entre ce que je dis et ce que je veux dire. Par conséquent, les mots que je prononce n'expriment pas toujours fidèlement mes pensées.

L'autre jour, par exemple, papi Léo m'a proposé :
— On va au restaurant ?
J'ai répété sa phrase mot pour mot :
— On… va… au… restaurant ? On… va… au… restaurant ? On… va… au… restaurant ?
Le souvenir qui m'est revenu, c'est celui de la fois où papa m'a emmenée manger une pizza. À la sortie de la pizzeria,

un orage a éclaté et nous avons couru sous la pluie. Quand nous sommes rentrés à la maison, nous étions trempés de la tête aux pieds.

— Prends... le... parapluie, ai-je alors répondu à mon grand-père.

— Tu veux que papi apporte le parapluie ?

J'aurai bientôt quinze ans et mon grand-père me parle parfois comme si j'étais encore un bébé. Ça me tape sur les nerfs ! Je sais bien que mon langage le déroute, mais j'aimerais tellement qu'il réalise les efforts considérables que je fais pour communiquer avec les autres ! Je les observe, j'écoute ce qu'ils disent et j'essaie d'enregistrer toutes ces informations afin qu'elles ne s'effacent pas de ma mémoire. Mais je me fatigue très vite et, surtout, je manque de patience.

Avec Rose, c'était différent. Son intuition lui permettait de voir au-delà des apparences. Elle savait combien j'étais avide d'apprendre. Elle ne ratait jamais une occasion de m'aider à grandir.

Chapitre trois

Je suis née à la fin de l'hiver, au mois de mars, un soir de tempête. C'est papa qui m'a tout raconté.

De gros flocons de neige tombaient à plein ciel quand ma mère a ressenti les premiers signes annonçant le début du travail. Elle s'est levée sans faire de bruit, pour ne pas réveiller mon père. Roulée en boule sur le grand canapé du salon, elle a compté les minutes qui séparaient chacune des contractions. Dehors, le vent soulevait des rafales de poudrerie. « La tempête de la Saint-Patrick, a-t-elle pensé, c'est bien ma chance ! »

Les contractions sont devenues de plus en plus fortes, de plus en plus nombreuses. Ma mère a poussé un cri de douleur qui a tiré papa de son sommeil. En moins de temps qu'il en faut pour dire « c'est le bébé qui arrive ! », il avait enfilé ses vêtements, bouclé la petite valise et appelé un taxi.

— Dépêchez-vous, a-t-il lancé nerveusement au chauffeur. Ma femme est sur le point d'accoucher !

— Jésus, Marie, Joseph !

Originaire d'Haïti, le brave homme en était à ses premières armes avec l'hiver et le froid. Il a embrassé le crucifix du chapelet suspendu au rétroviseur de la voiture avant de foncer à toute vitesse vers l'hôpital, malgré le mur de neige qui lui embrouillait la vue.

Tandis que l'automobile valsait dangereusement à travers les rues enneigées, papa serrait très fort la main de ma mère en répétant d'une voix tendue :

— Détends-toi, Sophie, ça va bien aller…

Il avait tort.

L'accouchement a été un véritable supplice, pour elle comme pour moi. Personne ne saura jamais combien j'ai souffert pendant les dix-huit heures précédant le moment où le médecin s'est enfin décidé à pratiquer la césarienne qui m'a délivrée. Mon cordon ombilical s'était enroulé autour de mon cou et, à chaque poussée, il se resserrait davantage. L'angoisse de l'emprisonnement ne m'a jamais quittée depuis. Sauf que, maintenant, je suis captive de mon propre corps.

Le lendemain, le médecin a expliqué à mes parents qu'il avait dû utiliser un ventilateur pour insuffler de l'air dans mes poumons afin que je puisse respirer normalement. Il s'est fait rassurant en affirmant que, même si mon cerveau avait été privé d'oxygène pendant quelques minutes, les possibilités de séquelles neurologiques étaient presque nulles.

Malgré ces paroles réconfortantes, ma mère s'est mise à pleurer et papa a répété encore une fois :

— Ne t'en fais pas, mon amour, ça va bien aller… Notre petite fille est en santé. Tu vas voir, tout va s'arranger.

Il avait tort, cette fois encore. Mais il lui faudrait plusieurs mois pour le découvrir.

Quelques jours plus tard, nous sommes rentrées à la maison. Ma mère avait perdu beaucoup de sang au cours de l'accouchement. Elle était épuisée et, comme c'est souvent le cas après une césarienne, sa montée de lait était insuffisante pour qu'elle puisse nourrir au sein le poupon affamé que j'étais. Voyant que je maigrissais de jour en jour, papa a réussi à la convaincre de me donner le biberon. Il a promis d'assurer le quart de nuit afin qu'elle puisse se reposer.

Au grand soulagement de mes parents, j'ai vite repris du poids et je suis devenue un beau bébé joufflu.

Durant les semaines qui ont suivi ma périlleuse entrée dans ce monde, mon développement physique s'est poursuivi normalement.

À l'âge de six mois, mes premières dents ont percé. C'était très douloureux et j'ai pleuré comme le font la plupart des bébés. Par la suite, chaque nouvelle poussée dentaire me rendait extrêmement irritable. Mais le reste du temps, papa était super fier d'affirmer que sa petite fille adorée était un bébé d'un calme exceptionnel.

— Marguerite, ma jolie fleur, tu es belle comme un cœur et sage comme une image, murmurait-il avec une infinie tendresse.

Il aurait dû se méfier.

Tandis que ma mère s'inquiétait de me voir rester sagement assise sur mes petites fesses, l'air absent, mon père voyait en moi la septième merveille du monde.

Les choses se gâtaient toutefois quand il essayait de me prendre dans ses bras. Je me transformais aussitôt en véritable furie. Je ne supportais aucun câlin.

Ma mère avait prévenu ses parents. Mais ceux-ci étaient incapables de résister à l'envie de me cajoler en me serrant contre eux. J'avais beau protester en hurlant et en me débattant furieusement, papi Georges affirmait :

— Marguerite est un peu sauvage, mais elle finira par s'habituer. Tous les bébés aiment se faire bercer.

Mamie Laure était d'un tout autre avis.

— Tu vois bien que cette enfant n'est pas comme les autres. Elle a manqué d'air à la naissance. La pauvre petite !

Papi Léo et mamie Jeanne, les parents de papa, ne faisaient quant à eux jamais de commentaires. Leur silence, toutefois, était encore plus éloquent que des paroles.

Quand j'ai atteint l'âge de deux ans, j'ai commencé à prononcer quelques mots, mais j'étais incapable de faire des phrases complètes. Mes parents avaient épuisé leur réserve d'explications pour justifier mes retards d'apprentissage et les bizarreries de mon comportement. Après de nombreuses discussions, lesquelles se terminaient abruptement quand ma mère s'effondrait en pleurs, ils ont finalement décidé de consulter un pédopsychiatre.

Le spécialiste m'a examinée avec beaucoup d'attention pendant qu'ils répondaient à un long questionnaire. Les résultats des tests auxquels j'ai été soumise ont confirmé ce qui était déjà une évidence pour mes grands-parents paternels.

— Marguerite souffre d'un trouble envahissant du développement, a déclaré le pédopsychiatre.

— Elle a manqué d'oxygène à la naissance, a cru bon de préciser ma mère.

— Sincèrement, Madame, je ne crois pas que cela en soit la cause, a rétorqué le médecin.

À travers les savantes explications qui ont suivi, des mots terrifiants ont été prononcés : spectre de l'autisme… troubles du comportement… agressivité… déficience… handicap…

— Vous vous trompez ! s'est écrié papa. Ma fille est si belle. Elle ne peut pas être autiste. De plus, c'est une maladie qui touche uniquement les garçons.

— Il est vrai que l'autisme est plus fréquent chez les garçons, a admis le pédopsychiatre. Toutefois, les statistiques démontrent avec précision qu'un enfant autiste sur cinq est une fille.

Mes parents ont dû accepter l'idée que je ne serais jamais la petite fille dont ils avaient rêvé. Papa a encaissé le coup et s'est promis d'être à la hauteur. Maman a essayé, elle aussi, de toutes ses forces. Mais elle n'a pas réussi et elle nous a quittés, trois ans plus tard.

Rose aussi m'a abandonnée.
Mais ce n'était pas son choix.
Ni le mien.

Chapitre quatre

Les premières scènes que j'ai conservées dans mes souvenirs remontent à la petite enfance.

J'ai trois ans, c'est l'heure du repas. Un moment que je redoute beaucoup. Mes parents aussi, car je déteste goûter à des plats que je ne connais pas. Ils sont pour moi aussi peu appétissants que les croquettes du chat de mamie Laure. Toutes les nouveautés me rendent terriblement anxieuse. À cause de cela, mon menu n'est pas très varié.

Je regarde mon assiette avec méfiance. Je reconnais les aliments qu'elle contient; ils font partie de la nourriture que j'accepte de manger. Mais ce midi, il y a quelque chose qui cloche. Le poulet n'est pas à sa place habituelle, entre la purée de carottes et les pommes de terre.

Papa tente de m'amadouer en faisant zigzaguer une cuillère remplie de purée sous mon nez.

— Vroum! Vroum! Ouvre la bouche, Marguerite. La p'tite voiture va entrer dans le garage!

Je m'obstine à garder la bouche fermée. Mon père revient à la charge :

— Miam! Miam! Miam! Des bonnes carottes pour ma p'tite fleur!

Il ne réalise pas que ce jeu, loin de m'amuser, me perturbe encore davantage. D'un brusque revers de la main, je repousse la cuillère et son contenu s'écrase sur le plancher.

— Ah non ! s'écrie ma mère. Qu'est-ce qui ne va pas encore ?

Le ton exaspéré de sa voix fait monter d'un cran mon anxiété. De gros nuages surgissent aussitôt et m'encerclent. Tout devient noir. Je panique. Je donne des coups de pied, je crie, j'essaie de mordre les mains qui se tendent vers moi… Puis, je finis par sombrer dans une sorte d'inconscience.

Quand j'émerge de la torpeur dans laquelle j'étais plongée, je suis couchée dans mon lit. Je porte mon pyjama préféré, celui avec des rangées de petits singes gris qui se tiennent par la main, assis côte à côte. Ça me rassure.

Des éclats de voix et des pleurs me parviennent de la chambre de mes parents, adjacente à la mienne. Ils se disputent encore à cause de moi. Le ton monte et ma mère se met à crier :

— Je n'en peux plus, Mathieu ! C'est trop dur ! Je vais devenir folle !

Je jette un regard prudent sur mes toutous. Ils sont parfaitement alignés sur leur étagère, du plus petit au plus grand. Ouf ! Je vais pouvoir dormir en paix.

Parmi mes souvenirs les plus déplaisants, il y a celui de madame Pépin. Tel un pantin jaillissant d'une boîte surprise, sa tête apparaissait toujours à l'improviste au-dessus de la clôture qui sépare nos deux cours.

J'avais une peur bleue de notre voisine et je me mettais aussitôt à hurler chaque fois que je l'apercevais. Pour ajouter à ma frayeur, madame Pépin a une voix super aiguë qui faisait douloureusement vibrer mes tympans.

Un jour, alors que je me débattais comme une diablesse dans les bras de papa, elle a lancé :

— Dans mon temps, les enfants ne nous montaient pas sur la tête !

J'ai senti mon père se raidir. Il a répliqué quelque chose qui n'a certainement pas plu à madame Pépin, car le visage de cette dernière est devenu rouge comme une canneberge. Depuis, elle ne nous adresse plus la parole, et c'est tant mieux pour mes oreilles.

En rentrant dans la maison, papa a raconté l'incident à ma mère et ils se sont à nouveau querellés. Après, je ne me souviens plus. Les ombres sont arrivées. Elles ont étouffé la voix de maman et emporté sa colère.

C'est peut-être à partir de ce moment qu'elle s'est détachée de moi et qu'elle a peu à peu cessé d'être affectueuse. Elle avait déjà pris l'habitude de dire :

— Il faut avoir les nerfs solides pour supporter les manies de Marguerite !

Un jour, c'était prévisible, ses nerfs ont lâché. Papa l'a aidée à mettre ses vêtements dans une valise et elle est partie, sans m'embrasser. De toute façon, je n'aurais pas pu le supporter.

Papa a versé beaucoup de larmes.
Pas moi.
J'ai pleuré, mais par en dedans.
Personne ne l'a su.
J'avais cinq ans.

Chapitre cinq

En apprenant le départ de ma mère, mamie Jeanne a proposé à papa de me garder pendant la journée.

— Tu pourrais déposer Marguerite chez nous, en allant travailler, a-t-elle suggéré.

— C'est gentil, maman. Mais es-tu certaine de vouloir passer des jours entiers avec la petite? s'est étonné mon père.

— Tu sembles oublier que j'ai élevé quatre enfants, Mathieu. Tes sœurs, ton frère et toi, vous n'étiez pas de tout repos, crois-moi.

— Je sais, maman. Mais tu connais Marguerite... Avec elle, c'est différent. Elle a ses habitudes, ses petites manies.

— Elle va entrer à la maternelle dans un mois, a répliqué ma grand-mère. Ce sera une bonne façon de la préparer à un nouvel environnement. Ne t'en fais pas, mon grand, je saurai me débrouiller. Marguerite est déjà venue à la maison. C'est un milieu qui lui est familier. Nous allons aménager la chambre d'amis pour elle. Et puis, Léo est là. Il me donnera un coup de main.

Il a donc été convenu que je passerais mes journées chez mes grands-parents et que papa viendrait me chercher en fin d'après-midi.

31

Mamie Jeanne et papi Léo étaient loin d'imaginer ce qui les attendait, le premier matin où ils m'ont accueillie dans leur appartement.

Ça fait déjà plusieurs minutes que mon père cherche une place pour garer sa voiture. Je l'entends maugréer entre ses dents :

— Maudit centre-ville !

Il y a bien un espace libre, juste en face de l'immeuble de mes grands-parents, mais il est interdit d'y stationner à cause de la borne d'incendie.

À bout de patience, il décide de passer outre le règlement municipal et d'actionner ses clignotants afin de bien montrer qu'il n'a pas l'intention de laisser son véhicule très longtemps à cet endroit. Il fait le tour de la voiture en courant, ouvre la portière arrière et entreprend de détacher les sangles qui me retiennent à mon siège d'auto.

C'est l'heure de pointe. La circulation est dense. La ville m'apparaît comme un monstre gigantesque qui s'éveille.

Coups de klaxon…

Grincements de freins…

Grondements de moteurs…

Mes tympans amplifient démesurément ce déluge de bruits. Une ambulance surgit à l'intersection, un peu plus loin. Le feu de circulation est rouge, mais le chauffeur ralentit à peine. Il démarre la sirène pour prévenir les autres voitures de sa présence et passe à côté de nous en trombe.

Je plaque mes mains sur mes oreilles afin de ne plus entendre le vacarme. Je suis terrorisée. Je hurle, persuadée que la ville est une ogresse et qu'elle va m'avaler. Papa me soulève et me prend dans ses bras en tentant de me rassurer :

— N'aie pas peur, Marguerite.

Il grimpe quatre à quatre les marches qui mènent à l'appartement de mes grands-parents et pose un doigt sur la sonnette de la porte d'entrée. Heureusement, papi Léo nous a vus venir. Il s'empresse d'ouvrir.

— Tu ne peux pas station...

Papa lui coupe la parole :

— Je sais, papa, mais je n'en ai pas pour longtemps.

Alertée par mes cris, mamie Jeanne arrive à la hâte. Elle me tend les bras, sachant bien que c'est peine perdue :

— Qu'est-ce qui se passe ? demande-t-elle.

Papa ne répond pas. Il file tout droit dans la chambre d'amis et me dépose avec précaution sur le sol. Je me jette aussitôt à plat ventre, puis je frappe le tapis avec mes pieds et mes poings.

Même s'ils ont déjà été témoins de mes réactions excessives, papi Léo et mamie Jeanne ne m'ont encore jamais vue faire une crise d'une telle ampleur. Ils échangent un regard consterné.

— Elle va se calmer, les rassure papa. Dans quelques minutes, ça ira mieux.

Conscient qu'il ne peut rien faire pour soulager mon angoisse, il s'agenouille près de moi et murmure près de mon visage bouffi de larmes : «Je t'aime très fort, ma jolie Marguerite!»

Vers cinq heures trente, tel que promis, mon père est venu me chercher.

À sa grande surprise, mamie Jeanne a affirmé que tout s'était très bien déroulé. Elle n'a pas mentionné que j'avais passé une bonne partie de la journée à ouvrir les portes des armoires de la cuisine pour les vider de leur contenu et, qu'à l'heure du dîner, j'avais lancé mon assiette par terre et renversé plusieurs fois mon verre de lait.

Le lendemain matin et les jours qui ont suivi, mamie Jeanne et papi Léo ont tenu bon. Avec amour et détermination, ils ont mis de côté leurs principes sur l'éducation des enfants et ils ont fait en sorte d'éviter les situations susceptibles d'entraîner des réactions d'angoisse, de panique ou de colère. Un jour à la fois, mes grands-parents ont appris à mieux me connaître. Ils ont cessé de vouloir m'apprendre à manger avec une fourchette et à marcher autrement que sur la pointe des pieds.

Je n'étais pas intéressée par les poupées et les autres jouets neufs qu'ils avaient achetés à mon intention. Je préférais aligner des objets familiers : les crayons, les boîtes de conserve, les ustensiles de cuisine et surtout les chaussures, que je rangeais par paire.

Papi Léo me laissait sortir les livres de sa bibliothèque et les empiler en pyramide.

— Marguerite est loin d'être bête, affirmait mon grand-père en me regardant les placer par ordre de grandeur, du plus grand au plus petit.

Les jours de lessive, j'attendais que mamie Jeanne dépose les vêtements dans la sécheuse pour m'asseoir devant le hublot et les regarder tourner à l'intérieur. Cette parfaite régularité du mouvement me procurait un bonheur intense.

Ces matins-là, ma grand-mère s'adonnait aux mêmes jeux que moi : elle triait les vêtements et les empilait sous mes yeux attentifs.

— Bleu… blanc… rouge…, récitait-elle en pliant les serviettes qu'elle rangeait par couleur dans le placard de la salle de bain.

Un jour, j'ai répété :
— Bleu…

Quand papa est venu me chercher, en fin de journée, mamie Jeanne lui a annoncé fièrement :

— Marguerite reconnaît les couleurs. C'est moi qui lui ai appris !

Quelques semaines plus tard, je suis entrée à la maternelle. Mon père tenait mordicus à ce que je fréquente la même école que les autres enfants du quartier. Mamie Jeanne, en gardienne désormais avertie, n'était absolument pas d'accord.

— Ta fille a besoin d'un encadrement particulier, Mathieu. Tu devrais choisir un établissement qui offre des services spécialisés pour les enfants autistes.

— Je veux que Marguerite ait une vie normale, maman, et qu'elle se fasse des amis, a rétorqué papa. Le contact avec des enfants qui se développent normalement lui sera bénéfique, j'en suis certain.

Cette fois encore, il avait tort.

Chapitre six

J'ai beaucoup de souvenirs agréables, mais j'ignore pour-quoi, ce sont souvent les mauvais souvenirs qui ressur-gissent, pêle-mêle, et qui me bouleversent. Je ressens alors le même inconfort qu'au moment où les événements se sont produits.

Mon entrée à la maternelle fait partie de ceux-là.

— Allez hop ! Marguerite, lance papa sur un ton fausse-ment joyeux. C'est l'heure de se lever, ma p'tite fleur !
Ce matin, il n'a pas attendu que je me réveille pour pré-parer le petit déjeuner. Ce changement dans notre routine matinale déclenche aussitôt un signal d'alerte dans ma tête.

Je suis incapable de distinguer les expressions sur les visages, qu'ils soient graves ou enjoués, mais j'ai des antennes hypersensibles pour capter la nervosité à travers la voix et les gestes. Ceux de papa sont fébriles, saccadés, tandis qu'il m'aide à m'habiller en chantonnant :
— 1, 2, 3… j'enlève mon pyjama

4, 5, 6… j'enfile ma culotte
7, 8, 9… je mets mon pantalon
10, 11, 12… mon joli chandail rouge.
Ce sont des habits neufs.
Encore une nouveauté.
Une autre menace.
— Mamie Jeanne a acheté ces nouveaux vêtements en l'honneur de ton entrée à l'école, me confie papa.

Les chandails et les pantalons que j'ai l'habitude de porter dégagent un délicat parfum de lessive. Ils sont souples, doux, rassurants. Pas ces nouveaux vêtements. Je déteste leur odeur et leur texture. Ils me râpent la peau. À leur contact, mes bras et mes jambes se raidissent. Mes mouvements deviennent saccadés comme ceux d'un robot.
— Je vais préparer le petit déjeuner, dit papa, bien décidé à ce que cette journée soit tout à fait parfaite.
Il court vers la cuisine, tandis que je me métamorphose en statue de pierre.

Voyant que je n'arrivais pas, papa est venu me chercher.
En entrant dans la cuisine, j'ai tout de suite remarqué l'objet qui était posé sur la table : un sac à dos bleu — ma couleur préférée — constellé d'étoiles blanches.

Papa me sert des céréales en forme de lettres. Ce sont les seules que j'accepte d'avaler. Chaque matin, je répète les mêmes gestes : j'enlève tous les «A» et je les aligne sur le rebord de l'assiette creuse. Papa attend patiemment que j'aie terminé avant de verser le lait.

Je mange avec mes doigts, je lape le lait à la manière d'un petit chat.

Nous déjeunons en silence, comme toujours. Je suis incapable de détacher mes yeux des étoiles blanches sur le sac bleu.

Soudain, de manière aussi rapide qu'inattendue, papa se lève. Son mouvement m'arrache brusquement à ma contemplation. Le raclement des pieds de la chaise sur le carrelage se répercute dans tout mon corps. Je bats l'air de mes mains pour chasser cette sensation désagréable.

Papa fait comme s'il n'avait rien vu. Il ouvre la porte du frigo, se tourne vers moi et exécute un petit pas de danse en brandissant un contenant en plastique :

— TADAM! Sandwich au jambon blanc et à la mayonnaise pour la jolie demoiselle!

Il dépose la petite boîte dans le sac à dos constellé d'étoiles avant d'y ajouter un berlingot de jus de pomme et un yogourt aux fraises. Il tire la fermeture Éclair et me tend le sac en tenant les courroies largement ouvertes.

— Tu veux le prendre, Marguerite?

Je fixe le sac sans réagir.

— Ça se porte sur le dos, précise papa.

Il essaie de m'aider à l'enfiler, mais je le repousse en agitant les bras dans tous les sens.

Mon père a bien cru que j'allais le mordre. Ça m'arrive, quand j'ai peur ou que je suis très contrariée.

— D'accord, d'accord, ma p'tite fleur, dit-il à voix basse. Je vais le porter pour toi.

Quelques minutes plus tard, voyant que j'ai retrouvé mon calme, papa use de toute la patience dont il est capable pour me convaincre de monter dans la voiture.

Quand nous arrivons enfin à l'école, la cloche annonçant le début de la classe a sonné depuis plusieurs minutes. Lorsque nous entrons dans le local de maternelle, tous les enfants sont déjà assis en cercle sur le sol. Un long frisson me parcourt de la tête aux pieds. Je refuse de faire un pas de plus.

— Et voilà Marguerite! s'exclame l'enseignante, ravie de constater que son groupe est désormais complet. Viens t'asseoir avec nous, ma belle fille.

Du même souffle, elle se tourne vers les enfants :

— Les amis, faites une place à votre amie… entre Simon et Léa.

Les yeux fixés sur le plancher, je m'agrippe de toutes mes forces à la main de papa pour ne pas partir à la dérive et me noyer dans cette marée de figures insondables qui me dévisagent. L'enseignante s'approche de nous, les bras tendus.

— Je suis madame Adèle. Ne sois pas timide, Marguerite. Viens !

Voyant que je ne réagis pas, elle s'adresse à mon père :

— Il est préférable que vous partiez, Monsieur. Ne vous inquiétez pas. C'est toujours comme ça, le premier jour. Certains enfants sont plus hésitants que d'autres. Tout va bien aller.

Papa n'en est pas convaincu, mais il se garde bien de le montrer. Il tend mon sac à dos bleu constellé d'étoiles blanches à madame Adèle avant de dégager doucement sa main de la mienne. Puis, il m'embrasse sur le front et chuchote à mon oreille :

— Bonne journée, ma p'tite fleur !

Il sort de la classe.

Rapidement.

Trop rapidement.

Le bruit de ses pas résonne en décroissant dans le couloir et je reste plantée là, à deux pas de la porte. Mon corps tétanisé refuse de bouger. Il est paralysé par la panique et le désespoir.

Madame Adèle n'insiste pas. Elle décide de m'ignorer, son instinct lui conseillant sans doute de ne pas brusquer les choses. Les enfants reprennent la comptine que notre arrivée a interrompue. Ils répètent docilement les mots et les gestes de l'enseignante qui chante avec entrain.

Loin de mes repères habituels, je suis complètement déroutée. Les rires, les bruits, les mains qui tapent en cadence résonnent tels de violents coups de marteau à l'intérieur de mon corps. Les couleurs se mélangent en une sorte de maelström qui finit par m'emporter à l'instant où madame Adèle s'approche de moi et pose sa main sur mon épaule.

— Viens t'asseoir, Marguerite, nous allons...

— AAAAHHHHHHH !

Mon cri a fait sursauter madame Adèle. Elle tente de me rassurer, mais il est trop tard. Les nuages qui s'accumulaient dans ma tête depuis mon réveil viennent de se crever. Plus rien ne peut désormais contenir la tempête qui fait rage à l'intérieur de moi.

— AAAAHHHH ! AAAAHHHH ! AAAAHHHHHHH !

Mes rugissements d'animal blessé déclenchent une réaction en chaîne. Tous les enfants se mettent à pleurer et à hurler à l'unisson. L'enseignante essaie de réciter une nouvelle comptine pour rétablir le calme. Rien à faire. Elle éteint les lumières, en comptant lentement jusqu'à dix, mais les cris redoublent.

La pauvre madame Adèle est sur le point de se mettre à pleurer, elle aussi, lorsqu'une autre enseignante, alertée par ce vacarme, accourt pour l'assister. Ensemble, elles me soulèvent et m'entraînent tant bien que mal hors de la classe.

Je me retrouve enfermée dans un petit local où je continue de m'époumoner, jusqu'à l'épuisement. Après, je n'ai plus la force de bouger. Prisonnière de cet endroit exigu qui sent le détergent, je reste assise sur le plancher, prostrée, jusqu'à l'heure du dîner.

Je n'ai pas touché à mon sandwich.

Je n'ai pas bu mon jus de pomme.

Je n'ai pas voulu de mon yogourt aux fraises.

Quand papa est venu me chercher, la directrice l'attendait de pied ferme, mon petit sac bleu constellé d'étoiles blanches posé sur son bureau.

— Vous auriez dû nous informer que Marguerite présentait de graves troubles de comportement. Je suis désolée, mais elle ne peut pas fréquenter une maternelle régulière. Elle sera beaucoup mieux dans une classe spéciale où l'on tiendra compte de ses besoins. Il existe des écoles…

— C'est hors de question ! s'est insurgé papa. Je refuse que ma fille soit marginalisée de la sorte. Elle a plus de chance de se développer normalement en fréquentant une classe régulière. Il suffit d'employer les stratégies adéquates.

C'était peine perdue. Malgré tous les arguments que mon père s'efforçait de mettre en avant, la directrice est demeurée inflexible.

Papa a finalement décidé qu'il me garderait à la maison tant et aussi longtemps qu'il n'aurait pas trouvé une école qui accepte de m'intégrer aux autres élèves.

Chapitre sept

Curieusement, le triste dénouement de mon premier jour d'école a libéré mon père du sentiment de culpabilité qu'il traînait avec lui, depuis sa rencontre avec le pédopsychiatre.

En rentrant à la maison, il s'est empressé de descendre au sous-sol. Il en est revenu avec une boîte rectangulaire qu'il a posée sur la table basse du salon. Puis, comme s'il venait d'accomplir un effort surhumain, papa s'est laissé tomber sur le sofa en poussant un énorme soupir. Après un moment, il a remarqué que je l'observais, appuyée contre l'encadrement de la porte, et il a dit :

— C'est ta maman qui l'a décorée…

Je me suis approchée sur la pointe des pieds. La boîte était parsemée de marguerites, joliment peintes à l'aquarelle.

— … pour y mettre tes photos et tes souvenirs de bébé, a poursuivi papa d'une voix un peu enrouée.

Il s'est frotté le menton, geste qu'il fait toujours quand il hésite à faire quelque chose. Puis, il a défait la boucle du ruban de soie qui entourait la boîte. Les yeux fermés, les lèvres pincées, il a lentement soulevé le couvercle, comme si celui-ci pesait une tonne.

J'ai étiré le cou pour regarder à l'intérieur. La boîte était à moitié vide, comme dans ma tête, après une tempête.

Du bout des doigts, mon père a sorti un petit bouquet de fleurs séchées, des cartes de vœux, une pochette en tulle contenant une mèche de cheveux blond doré, une bougie d'anniversaire représentant un ourson qui brandit fièrement le chiffre un, quelques photos et une paire de minuscules chaussons en laine. Il a déposé ces objets l'un après l'autre sur la table basse du salon. Ces quelques souvenirs se sont soudainement retrouvés étalés devant mes yeux, telles des pièces à conviction témoignant des deux premières années de ma vie.

Sur l'une des cartes, il y avait un gros oiseau blanc qui transportait, accroché à son long bec jaune, un bébé emmailloté dans une couverture rose. Je l'ai pointée du doigt.

— Elle vient de mamie Laure et de papi Georges, a murmuré papa. Les chaussons aussi. Ta grand-mère les avait tricotés pour toi.

Quand j'étais toute petite, mes grands-parents maternels venaient souvent à la maison. Mais après le départ de ma mère, ils ont cessé de nous rendre visite. Comme elle, ils m'ont effacée de leur vie. C'est pareil pour moi. Si je ne m'étais pas souvenu de cette carte, je ne penserais pas à eux, en ce moment. Mais je sais que je les aurai oubliés dans quelques minutes. C'est toujours comme ça avec les gens que je ne vois pas souvent. Quand ils ne sont pas là, j'oublie leur existence. Ils ne me manquent pas.

Au fond de la boîte, il ne restait plus qu'une grande enveloppe blanche, un peu jaunie par trois années d'enfermement. Elle était encore cachetée. Papa l'a considérée pendant un moment avant de se décider à l'ouvrir. À l'intérieur, il y avait une brochure. J'ai observé le va-et-vient rapide de ses yeux tandis qu'il en parcourait attentivement le contenu.

En début de soirée, mamie Jeanne est venue à la maison. Elle voulait savoir comment s'était déroulée ma première journée en classe. Papa a tenté tant bien que mal de demeurer évasif, mais devant son insistance, il a dû se résoudre à tout lui raconter.

— Je te l'avais bien dit ! s'est exclamée ma grand-mère.

Papa a fait comme s'il n'avait rien entendu. Il a poursuivi :

— Cet après-midi, j'ai lu la brochure que le pédopsychiatre nous avait remise, il y a trois ans, quand nous l'avions consulté, Sophie et moi.

— La brochure ? a répété mamie Jeanne.

Papa me croyait occupée à assembler un casse-tête. Il ne se doutait pas que j'écoutais attentivement l'histoire qu'il racontait à sa mère.

— À la fin de notre rencontre, le médecin m'a donné une enveloppe. Je me souviens de ce qu'il a dit : «Cette documentation vous aidera à mieux comprendre Marguerite. Lisez-la attentivement. Et dites-vous bien que ce diagnostic ne change rien au fait qu'elle demeure votre fille. Continuez de l'entourer de votre amour. C'est ce dont elle a le plus besoin. » Le médecin a plusieurs fois insisté sur le fait que l'autisme n'est pas une maladie mentale. Il a même précisé que plus de la moitié des personnes atteintes ont un niveau d'intelligence normal. Mais nous étions trop bouleversés pour trouver du réconfort dans ses paroles. Au retour, Sophie n'arrêtait pas de pleurer dans la voiture. Elle s'accusait de tous les torts. J'étais moi-même trop bouleversé pour la rassurer. En rentrant à la maison, d'un commun accord, nous avons décidé de reporter à plus tard la lecture du document. Nous étions persuadés qu'après un certain temps, nous aurions le courage de le faire. Mais ça n'a pas été le cas. Quelques semaines plus tard, j'ai trouvé l'enveloppe dans le bac de recyclage. Sophie l'avait jetée avec les vieux journaux. J'ai décidé de la garder, mais je ne voulais pas qu'elle le sache. Elle était toujours en état de choc et j'étais très inquiet pour sa santé. J'ai mis l'enveloppe dans la boîte de Marguerite. Tu te rappelles ? C'est celle que Sophie avait peinte à l'aquarelle pour conserver ses souvenirs de bébé. Je savais qu'elle n'y mettait plus rien depuis le diagnostic du médecin. J'ai rangé la boîte dans mon sac d'équipement de hockey, au sous-sol. Je ne l'avais jamais ressortie, jusqu'à aujourd'hui.

Un long silence a suivi le récit de papa. C'est mamie Jeanne qui l'a rompu la première :

— Que comptes-tu faire, maintenant ?

— Trouver une école appropriée pour Marguerite.

— Et d'ici là ?

— Elle restera avec moi, à la maison.

— Et ton emploi ?

Papa est designer industriel. Il utilise des logiciels pour dessiner des plans et concevoir des maquettes. À cette époque, il travaillait pour une compagnie qui fabriquait des chaises et des fauteuils ultramodernes.

Il a tout de suite rassuré sa mère.

— Ce n'est pas un problème. Je peux très bien honorer mes commandes à partir d'ici. C'est l'avantage de mon boulot : un ordinateur équipé avec mes logiciels, une imprimante et une connexion Internet, c'est tout ce dont j'ai besoin. Et puis, je pense sérieusement devenir travailleur autonome. Je vais m'inscrire à un cours de gestion d'entreprise. Ça va me permettre de démarrer ma propre affaire.

Dès le lendemain, papa est passé à l'action. Il a dû être très persuasif, car son patron a accepté qu'il travaille à distance. Mon père a aussitôt entrepris des travaux au sous-sol pour y installer son équipement et aménager une aire de jeu qu'il a pompeusement baptisée *le bureau de mademoiselle Marguerite*.

À la fin de la semaine, tout était réglé. Papa s'était même inscrit à des cours du soir.

Chapitre huit

Mon père s'est mis à la recherche de quelqu'un qui veillerait sur moi, du lundi au jeudi, de 18 h 30 à 22 h, pendant toute la durée de sa formation.

C'est comme ça que Rose est entrée dans ma vie.

Ma gardienne a quinze ans.

Elle a téléphoné, il y a quelques semaines, en réponse à l'annonce que papa avait épinglée au supermarché. Il a d'abord hésité à confier sa fille autiste de cinq ans à une adolescente.

— Elle est à peine sortie de l'enfance, a-t-il mentionné, en discutant avec mamie Jeanne.

— Est-ce qu'elle a de l'expérience avec les petits ?

— Elle garde régulièrement un garçon de quatre ans qui est trisomique. J'ai contacté les parents de cet enfant. Leurs commentaires envers Rose sont très élogieux. Ils lui font entièrement confiance.

— C'est bon signe, a conclu ma grand-mère.

Papa a donc proposé à Rose de venir faire notre connaissance à la maison, en fin d'après-midi, après ses cours.

— Salut, Marguerite !

— …

— Moi, c'est Rose.

— …

Mon silence ne semble pas affecter le bel enthousiasme de Rose.

— Rose et Marguerite, c'est drôle, non ? On a déjà quelque chose en commun toutes les deux.

Papa émet un petit rire.

Pas moi.

Je ne vois pas ce qu'il y a d'amusant.

Mis à part le fait que je n'ai pas le sens de l'humour, c'est toujours comme ça quand je rencontre quelqu'un pour la première fois. Je suis incapable d'exprimer la moindre émotion et je reste figée.

— Tu aimes les histoires ? demande Rose, en sortant un grand livre de son sac à dos.

— Bleu.

C'est une réponse à laquelle Rose ne s'attendait visiblement pas. Elle hésite à poursuivre. Mais papa, qui a tout de suite compris, lui vient en aide.

— Le sac d'école de Marguerite est bleu, comme le tien.

— Super! On a maintenant deux choses en commun! s'exclame Rose. Et tu sais, Marguerite, je suis certaine qu'on va bien s'entendre toutes les deux.

— Pas d'étoiles.

Cette fois, Rose est plus rapide.

— Mon sac n'a pas d'étoiles? Je parie qu'il y a une étoile sur le tien. J'adore les étoiles! Tu veux me le montrer?

Papa est soulagé. Cette première rencontre commence plutôt bien. Il propose de nous installer dans *le bureau de mademoiselle Marguerite*.

— J'en profiterai pour terminer un plan que je dois transmettre à un client avant la fin de la journée, explique-t-il.

Papa passe devant, suivi de Rose. Un minisinge en peluche est suspendu à l'une des pochettes du sac à dos de la jeune fille. Il oscille de gauche à droite, tandis qu'elle descend l'escalier. Ce va-et-vient me procure une agréable sensation d'apaisement.

Mais il y a autre chose...
Une image un peu floue qui se dessine...
Une rangée de petits singes gris qui se tiennent par la main, assis côte à côte.
Cette vision inattendue me réconforte. Je balance la tête en scandant au rythme de mes pas :
— Py... ja... ma... Py... ja... ma... Py... ja... ma...

Il n'y a pas de chaises dans *le bureau de mademoiselle Marguerite*, mais une pile de coussins sur lesquels Rose s'installe aussitôt, le dos appuyé contre le mur.

— Tu ne t'assois pas ? demande-t-elle.

Papa m'observe du coin de l'œil. Il sait que, même si j'ai envie de rejoindre la jeune fille, je vais rester debout tant que je n'aurai pas reçu une consigne claire. J'attends le signal de Rose pour passer à l'action. Papa lui vient à nouveau en aide.

— Assois-toi, Marguerite.

Je m'assois en tailleur, face à Rose. Visiblement soulagée, elle replie ses jambes afin d'y appuyer son grand livre.

— Bon ! Je vais te lire mon histoire. C'est une de celles que je préférais, quand j'avais ton âge.

Moi, je n'ai pas d'histoire préférée.

D'habitude, je suis incapable de rester assise suffisamment longtemps pour écouter une histoire jusqu'à la fin. Au bout de quelques minutes, j'ai l'impression d'être prise au piège.

J'entreprends de me bercer sur les fesses pour chasser cette terrible sensation.

Tandis que papa fait semblant de travailler, Rose ouvre le livre et commence à lire.

— Il était une fois un bûcheron et sa femme…

Je garde les yeux fermés.

Dans la bouche de Rose, les mots que je connais et que j'entends depuis que je suis née sonnent comme une douce musique :

— […] Le Petit Poucet pensait pouvoir retrouver son chemin, comme la première fois. Mais les miettes de pain avaient disparu : les oiseaux étaient venus, qui avaient tout mangé !

Cet enfant pas plus gros qu'un pouce, qui parlait peu et qui écoutait beaucoup, me ressemble étrangement. Comme lui, je suis perdue dans une sombre forêt. Comme lui, je cherche constamment des repères. Je sème des miettes, mais elles s'éparpillent autour de moi et je ne les retrouve pas.

— […] Alors, le Petit Poucet grimpa en haut d'un arbre et il vit une petite lueur, qui ressemblait à une chandelle…

Au fil du récit, la voix de Rose perce le brouillard dans lequel je vis en permanence. Elle me guide vers la lumière.

— […] et, comme elles étaient magiques, les grandes bottes de l'ogre s'adaptèrent parfaitement aux pieds minuscules du Petit Poucet…

D'un mouvement impulsif, je tends les bras et j'enlace les jambes à demi repliées de Rose. Je presse ma joue contre ses genoux et je ne bouge plus, jusqu'à ce que sa voix se taise, que le silence se prolonge, m'indiquant que l'histoire est maintenant terminée.

Le lendemain, Rose est revenue, après l'école.

Les jours suivants aussi.

Papa a pu assister en toute quiétude à ses cours du soir, sachant qu'il pouvait compter sur Rose pour prendre soin de moi. Après avoir complété sa formation, il a continué de faire appel à elle, chaque fois qu'il devait s'absenter de la maison.

Chapitre neuf

Au cours des mois qui ont suivi, Rose s'est familiarisée avec mon vocabulaire limité, mes réactions démesurées, mes angoisses subites. Les dix années qui nous séparaient ne lui permettaient pas de jouer le rôle d'une mère. Tout au plus, celui d'une grande sœur désireuse de partager avec moi ses connaissances. Pour ça, elle était vraiment experte.

Parallèlement à papa, qui poursuivait résolument ses recherches pour m'inscrire à l'école, Rose a décidé de me préparer en m'apprenant l'alphabet.

Elle ne se doutait pas que j'allais développer une véritable obsession pour les lettres.

— CHUT ! C'est un secret entre nous.

L'index posé sur ses lèvres souriantes, Rose m'observe avec attention.

— On va faire une surprise à ton père, poursuit-elle en étalant devant mes yeux un tas de lettres multicolores.

Je ne connais pas le nom de tous ces petits objets en plastique aux formes diverses, mais je reconnais aussitôt ma couleur préférée à travers les autres.

— Bleu… Bleu… Bleu…

— OUIIIII ! Bravo, Marguerite ! jubile Rose.

J'extrais du lot toutes les lettres bleues. Rose entre aussitôt dans le jeu.

— Rouge… Rouge… Rouge…, dit-elle à son tour tandis qu'elle forme un nouveau tas de lettres à côté du mien.

Il en reste encore plusieurs. Nous les trions en martelant à l'unisson :

— Jaune… Jaune… Jaune…

— Vert… Vert… Vert…

Voyant que je commence à aligner méthodiquement les lettres de même couleur, Rose entreprend de les identifier.

— s… m… t… Répète après moi, Marguerite.

— …

Je suis fatiguée.

Tout s'embrouille.

Je n'ai plus envie de répéter.

Je ne veux plus jouer.

J'attrape des poignées de lettres et je les lance à travers la pièce afin d'échapper à cet échec qui me désespère.

Impuissante à soulager ma souffrance, Rose abandonne aussitôt l'exercice et tente de me consoler.

— C'est pas grave, Marguerite, c'est pas grave…

Quelque temps plus tard, Rose est revenue à la charge en plaçant six lettres devant moi :

— a... e... i... o... u... y... Tu vois, Marguerite, ce sont des voyelles. Regarde bien maintenant.

Rose choisit de nouvelles lettres pour écrire :

— m... a... r... g... u... e... r... i... t... e... Marguerite... C'est toi !

Voyant qu'elle a réussi à retenir mon attention, elle choisit d'autres lettres et épelle :

— r...o...s...e... Rose... C'est moi !

Du bout de l'index, la jeune fille extrait quatre lettres de mon prénom.

— a...e...i...u... Il manque le « o » et le « y » ! Où sont-ils ?

Rose fait glisser le « o » de son prénom pour le placer entre le « i » et le « u ».

— Voici d'abord le « o » de Rose. Et maintenant, je vais te montrer où se cache le « y ».

Rose choisit de nouvelles lettres qu'elle aligne à côté de son prénom.

— a... m... y... o... t... Amyot. C'est mon nom de famille.

Elle fait glisser le « y » et le place à côté du « u ».

— TADAM ! Tu vois, ma belle Marguerite, à nous deux, on possède toutes les voyelles de l'alphabet. On est maintenant inséparables !

Je saisis le «o» de Rose. Je le fais rouler dans ma main. Cela me procure une merveilleuse détente. C'est la lettre que je préfère, car sa forme ronde est parfaite.

Rose me sourit. C'est en quelque sorte une première victoire pour elle.

J'ai appris très rapidement toutes les lettres de l'alphabet. Savoir que chacune d'elles occupait une place bien précise, toujours la même, me rassurait. Je les récitais inlassablement, du matin au soir.

Puis, j'ai commencé à les énumérer dans l'ordre, en partant de la fin. Le résultat était identique : les lettres conservaient leur place bien à elles et moi, j'en éprouvais toujours la même satisfaction, le même bien-être.

Papa était très enthousiaste. Les premiers jours, il s'exclamait avec fierté :

— Bravo, ma championne !

Il n'arrêtait pas de vanter les méthodes de Rose. Mais, après quelques semaines à m'entendre répéter inlassablement la même litanie, il lui a confié :

— À mon avis, Marguerite est maintenant prête à apprendre à compter. Il est temps de mettre en pratique de nouvelles stratégies.

L'année suivante, papa a finalement déniché une école qui correspondait à ses attentes. J'ai été admise en classe régulière parce que je pouvais réciter l'alphabet en entier. De surcroît, je savais déjà compter jusqu'à cent. Les chiffres n'avaient plus de secret pour moi. J'avais compris qu'ils se répétaient toujours dans le même ordre pour former des nombres de plus en plus gros et ce, jusqu'à l'infini.

Madame Josée, mon enseignante de première année, avait une voix très douce. Elle nous racontait des histoires au cœur de *la forêt magique*, un espace de lecture qu'elle avait joliment aménagé dans un coin de la classe. Un hamac en toile y était suspendu. Pour mon plus grand plaisir, il y avait aussi Popi, un petit singe en peluche avec de longs bras dont madame Josée se servait pour nous faire des câlins dans le cou. Popi était aussi le héros d'une série d'albums illustrés dont j'adorais «lire» les images. Quand j'étais fatiguée et que je commençais à m'agiter de façon excessive, madame Josée m'autorisait à me reposer dans *la forêt magique*. Je m'installais confortablement au creux du hamac, les longs bras de Popi entourant mon cou.

C'est en deuxième année que j'ai vraiment appris à lire les mots, grâce à la détermination de madame Lucie. Elle aussi adorait les livres. Chaque jour, elle nous faisait la lecture d'une histoire avec beaucoup d'enthousiasme. Mon enseignante était très exubérante et elle m'étourdissait parfois, tellement elle parlait vite. Son rire fusait à tout moment. Il me rappelait celui de Rose. Elle connaissait toutes sortes de trucs efficaces pour m'aider à progresser dans le difficile apprentissage de la lecture. Mais surtout, elle avait une patience infinie et elle ne manquait jamais une occasion de saluer mes efforts par un retentissant :

— Bravo, Marguerite !

Chaque fois que j'ouvrais un nouveau livre, les mots que je remarquais en premier, ceux que je trouvais les plus beaux, étaient toujours ceux dans lesquels je reconnaissais le merveilleux « o » de Rose.

Aujourd'hui, encore, ces mots sonnent dans ma tête comme le rire de Rose. Ils m'apaisent et me rassurent.

J'aurai bientôt quinze ans. L'âge de Rose, quand elle m'a fait découvrir les lettres. Ça me fait tout drôle d'y penser.

Chapitre dix

Au début, papa rédigeait une longue liste de consignes et de recommandations à l'intention de Rose. Avec le temps, la liste est devenue de plus en plus courte et un message de bienvenue l'a finalement remplacée, du genre : «Bonne journée, ma belle Rose!». Nous avons déniché un joli aimant en forme de bouquet de fleurs pour l'afficher bien en évidence, sur la porte du frigo.

Rose a compris que mon père lui faisait entièrement confiance, le jour où il a accepté qu'elle m'emmène en promenade, à condition de me tenir la main. Elle était désormais beaucoup plus qu'une gardienne aux yeux de papa; elle faisait partie de notre famille.

J'avais sept ans et elle, dix-sept, quand elle m'a juré :

— Je ne te laisserai jamais tomber, Marguerite. Croix de bois, croix de fer, si je mens, je vais en enfer!

— Donne-moi la main, Marguerite.

J'aime bien tenir la main de Rose quand nous allons au parc. Son bras devient le prolongement du mien. Elle le balance pour bien marquer le rythme des chansons qu'elle fredonne en marchant :

— 1… 2…3… nous irons au bois…

4… 5… 6… cueillir des cerises…

J'adore répéter les phrases que je connais par cœur. C'est super amusant de jouer avec les sons. Je répète en écho :

— 4… 5…6… cueillir des cerises…

Sur notre chemin, nous passons à côté d'un énorme peuplier. À chaque fois, c'est pareil : nous nous arrêtons, je pose mon oreille sur l'écorce rugueuse et je ferme les yeux pour mieux entendre le souffle puissant qui monte des racines enfouies sous la terre. C'est Rose qui m'a appris à écouter battre le cœur de l'arbre. Ensemble, nous faisons le plein d'énergie, avant de repartir main dans la main.

— 4… 5… 6… cueillir des cerises…

7… 8… 9… dans mon panier neuf.

Soudain, de l'autre côté de la rue, quelque chose attire mon regard. Un petit animal trottine et fait des bonds. Ses mouvements saccadés captent toute mon attention. Il s'arrête, la queue en panache, pour grignoter un trognon de pomme qu'il vient de ramasser dans l'herbe.

Un écureuil !

Je lâche la main de Rose et, du même coup, j'oublie tout à fait sa présence.

Je fonce impulsivement vers l'écureuil.

— Marguerite ! Attends-moi ! Ton papa ne veut pas que tu traverses la rue… MARGUERITE !!!

Je ne vois pas venir l'automobile.

Je n'entends pas les cris de Rose.

Ni le crissement désespéré des pneus.

La voiture s'immobilise à un mètre à peine de moi, tandis que je poursuis ma course, inconsciente du danger auquel je viens d'échapper par miracle.

Je m'arrête net dès que je parviens à l'endroit où j'ai aperçu l'écureuil.

Il n'est plus là.

Rose me rejoint en courant. Elle est furieuse.

— J'en ai assez de toi, Marguerite ! Tu fais toujours tout à ta tête, tu ne m'écoutes jamais !

C'est la première fois en deux ans que Rose me fait des reproches. Ce ne sont pas les mots qu'elle a employés, sur le coup de la colère, ni les larmes qui roulent sur ses joues qui me troublent, mais l'élan de tendresse qu'elle ne peut réprimer en m'attirant vers elle.

— Ne refais plus jamais ça, ma p'tite fleur !

Je me dégage doucement de l'étreinte de Rose. Je voudrais lui promettre de ne plus recommencer, mais c'est impossible. Les enfants comme moi ne tiennent pas leurs promesses. Ce n'est pas par méchanceté. On a beau me répéter les consignes des centaines de fois, l'impulsion qui me pousse à agir est plus forte que tout. J'oublie les réprimandes et je fais de nouveau les mêmes bêtises.

Au milieu du parc, il y a une fontaine dont le jet d'eau retombe en cascade. C'est toujours à cet endroit que nous nous arrêtons, mais à tout coup, Rose fait semblant que c'est la première fois.

— Oh! la belle fontaine! Tu veux qu'on s'installe ici pour la regarder, Marguerite?

Je me fige à une certaine distance afin de ne pas être éclaboussée. C'est arrivé la première fois que je me suis approchée et ça m'a effrayée. Depuis, je préfère l'admirer de loin.

Rose m'invite à m'asseoir dans l'herbe, à côté d'elle. Elle ouvre son sac à dos et en sort une balle.

— Attrape, Marguerite!

La balle roule dans ma direction et s'arrête contre ma cuisse. J'attends en vain qu'elle se remette en mouvement. Rose la reprend et la lance de nouveau dans ma direction.

— Attrape, Marguerite!

Après plusieurs essais infructueux, Rose renonce à ce jeu.

Je me décide à prendre la balle pour la faire tourner dans le creux de ma main.

Tourne… tourne… tourne la balle…

Tourne… tourne… tourne Marguerite…

Rose sort un calepin et un crayon. Elle commence un dessin, à grands traits. De temps en temps, elle me jette un coup d'œil satisfait.

— Viens voir, Marguerite.

Quand je regarde quelque chose, ce sont toujours les détails que je remarque en premier. Là, je vois des yeux écarquillés et une bouche grande ouverte, comme si elle s'apprêtait à mordre dans une pomme. Je ne me reconnais pas dans ce portrait. Rose ne s'en formalise pas. Elle tourne la page et continue de crayonner d'un air concentré.

KRICHH… KRICHH… La mine du crayon de plomb chante allègrement sur le grain du papier. Les mouvements réguliers de la main de Rose me bercent tandis que je surveille les lignes qui apparaissent, serrées les unes contre les autres. Des petites d'abord, puis des grandes. Elles s'agglutinent pour former des ombres, s'éloignent pour laisser un passage à la lumière.

Devant mes yeux attentifs, les ailes d'un papillon se déploient tout à coup, comme par enchantement.

— C'est un monarque. Un mâle, précise la jeune fille en ajoutant deux petits points noirs au bas de chacune des ailes de l'insecte.

Je tends la main, persuadée que le papillon va s'y poser dès son envol.

— Un arc-en-ciel! Le vois-tu, Marguerite?

Je lève la tête.

Le bras tendu de Rose pointe en direction de la fontaine. D'abord, je ne distingue rien d'autre que des milliers de petites gouttelettes d'eau scintillantes. Puis, dans le halo entourant le jet d'eau, je distingue peu à peu un arc multicolore. La pureté de cette vision me remplit d'un profond bien-être. Je m'en imprègne et je me fonds tout entière dans les couleurs chatoyantes de cet arc-en-ciel.

La voix de Rose me tire subitement de ma rêverie.

— Tu viens, Marguerite?

Elle a rangé ma balle, son calepin et son crayon. J'attrape sa main tendue.

— On rentre à la maison et cette fois… pas de bêtises!

Chapitre onze

Papa n'a jamais su que j'avais désobéi. Rose ne lui a pas raconté l'épisode de l'écureuil. Avant de partir, elle m'a offert le monarque qu'elle a dessiné près de la fontaine.

Le samedi suivant, il pleuvait des clous. Nous ne sommes pas allées au parc. Dès son arrivée à la maison, Rose s'est exclamée :

— J'ai une surprise pour Marguerite !

Je n'aime pas les surprises.

Ça m'inquiète de ne pas savoir ce qui m'attend.

Je regarde Rose sortir des tubes d'aquarelle et des pinceaux de son sac à dos. Elle place une feuille de papier épais sur la table, ouvre l'armoire, en sort une soucoupe, puis un gobelet qu'elle remplit d'eau.

— Assieds-toi, Marguerite, et regarde bien ce que je fais. D'abord, il faut mouiller entièrement le papier…

À grands coups de pinceau, Rose humecte la feuille qui gonfle aussitôt, semblable à une éponge.

— Après, on choisit les couleurs. On met du rouge ?

— …

— OK ! On met du rouge.

D'un geste rapide, Rose pince le tube de peinture. Un petit tas rouge framboise s'écrase sur la soucoupe.

— On va mettre du jaune aussi, et… du bleu. D'accord ?

— …

Je fixe avec satisfaction le bleu, parfaitement aligné avec le jaune et le rouge.

— Bon ! Maintenant, je trempe la pointe du pinceau dans l'eau et je prends un peu de couleur. Pas trop, sinon ça ne sera pas joli.

Dès que l'extrémité des poils touche le papier humide, un long ruban bleu se détache du pinceau et serpente comme un petit ruisseau à travers la feuille. Rose nettoie son pinceau et répète les mêmes gestes.

— Un peu d'eau… un soupçon de couleur…

Cette fois, c'est le jaune qui serpente librement sous le bleu. Je pousse un cri :

— OH !

Le jaune s'est étendu jusqu'à se fondre dans le bleu et une nouvelle couleur est apparue ! Rose nettoie méthodiquement son pinceau et me le tend.

— À ton tour !

— C'est toi qui as fait ça, Marguerite ?

Papa n'en revient pas. Il regarde l'arc-en-ciel qui s'étale d'un bord à l'autre de la feuille.

— Tu l'as aidée, Rose ?

— Pas du tout ! Elle l'a peint toute seule.

— Incroyable ! Marguerite déteste qu'on lui impose des activités. Depuis qu'elle va à l'école, elle n'a jamais complété un dessin, encore moins une peinture.

— Elle n'avait peut-être pas encore réalisé qu'elle en était capable, a suggéré Rose.

Le lendemain, papa a invité mamie Jeanne et papi Léo à souper. Dès leur arrivée, nous sommes descendus en file indienne au sous-sol.

— J'ai quelque chose à vous montrer, a dit papa d'une voix énigmatique.

— Encore une nouvelle stratégie de Rose ? a demandé ma grand-mère en insistant sur chacune des syllabes.

Mamie Jeanne enviait l'exclusivité des liens affectifs que j'avais accepté de tisser avec Rose. Je le sentais dans le ton légèrement ironique qu'elle empruntait chaque fois qu'elle mentionnait son nom. Mais papa était trop enthousiaste pour le remarquer.

En cet instant où il s'apprêtait à dévoiler mon aquarelle à ses parents, les mots lui manquaient pour qualifier le « chef d'œuvre » épinglé sur le mur, face à son bureau. Mon père a poursuivi sur sa lancée :

— Regardez comme c'est magnifique ! Non mais… Vous vous rendez compte ? C'est la première fois que Marguerite touche à un pinceau. Ma fille est une artiste !

Papi Léo a considéré le tableau d'un œil expert avant d'approuver avec conviction :

— Cette petite a du talent. Ça, c'est sûr !

— Elle ne tient pas des voisins, a lancé mamie Jeanne. Sophie était, elle aussi, très douée.

L'image de maman, debout devant son chevalet, les doigts maculés de peinture, s'est sans doute brutalement imposée à la mémoire de mon père, car sa voix s'est durcie quand il a répliqué :

— C'est gentil de me le rappeler, maman.

— Je suis désolée, Mathieu, a balbutié ma grand-mère en prenant conscience de sa bévue.

D'un geste de la main, papa a signifié à sa mère qu'il passait l'éponge et, désireux de se consacrer entièrement à l'instant présent, il a préféré renchérir :

— Je suis persuadé que Marguerite possède un don exceptionnel et j'ai la ferme intention de l'aider à développer son talent.

Quand Rose m'a initiée à l'aquarelle, elle ne pouvait pas savoir qu'elle m'offrait la clé dont j'avais désespérément besoin pour échapper au silence et à l'isolement.

Dès le départ, j'ai éprouvé un profond apaisement à choisir les couleurs et à les combiner entre elles. J'étais captivée par l'infinité de teintes et de nuances que je pouvais créer, avec la complicité de l'eau, pour exprimer ce que je n'arrivais pas à dire avec des mots.

Ce tout nouveau sentiment de liberté qui m'habitait, pendant que je peignais, me donnait envie de chanter, de danser. Pour la première fois, mon corps acceptait enfin d'être mon allié. Jamais encore je ne m'étais sentie aussi détendue, en harmonie avec moi-même. Ma satisfaction se manifestait par de bruyants éclats de rire qui fusaient de manière impromptue et se prolongeaient parfois jusqu'à ce que l'épuisement me gagne.

Ravi de constater à quel point cette activité me rendait heureuse, papa a installé un véritable chevalet d'artiste dans *le bureau de mademoiselle Marguerite*. Il a acheté des toiles bon marché, et les quelques tableaux qui étaient accrochés aux murs de notre maison ont cédé tour à tour la place à mes nouvelles aquarelles.

Depuis trois ans, je range mes pinceaux et mes tubes de couleurs dans la boîte parsemée de marguerites que ma mère a peintes à l'aquarelle. Papa me l'a donnée, un jour, après avoir retiré tous les objets qu'elle contenait.

Chapitre douze

Lorsque Rose est entrée au cégep, elle a commencé à travailler à mi-temps.

— Comme ça, a-t-elle expliqué à papa, je vais gagner plus de sous, plus vite, et je pourrai m'acheter une voiture!

Voyant la mine déconfite de mon père, elle s'est empressée de le rassurer.

— Ne vous inquiétez pas pour Marguerite. Mon horaire me permet de venir tous les mercredi soir pour l'aider à faire ses devoirs. Je serai aussi en congé le dimanche. Nous pourrons continuer de nous voir chaque semaine.

En janvier de l'année suivante, peu de temps après son dix-neuvième anniversaire, Rose a passé son permis de conduire. Puis, au début de l'été, elle est entrée en coup de vent dans la maison en agitant fièrement son minisinge gris attaché à une clé.

— TADAM! Viens voir, Marguerite!

Je suis sortie avec papa. L'automobile de Rose était stationnée dans l'entrée.

— C'est une voiture d'occasion, mais elle est en très bon état, a-t-elle précisé.

Mon père s'est approché pour l'examiner de plus près. Mais moi, j'ai caché mon visage dans mes mains pour ne pas la regarder.

— Tu ne l'aimes pas? s'est inquiétée Rose.

J'étais trop épouvantée pour répondre. J'ai tourné les talons et je suis rentrée à toute vitesse dans la maison.

Sous le soleil éblouissant du mois de juin, il m'a semblé que la petite automobile rouge vif était en feu. Il a fallu plusieurs semaines et beaucoup de persuasion de la part de Rose avant que cette vision ne s'efface et que j'accepte de monter dans sa voiture.

Pour notre première balade, Rose a proposé de se rendre à l'animalerie où elle travaille à temps partiel depuis bientôt deux ans. Papa a tenu à nous accompagner.

— Ce n'est pas que je doute de ton aptitude à conduire, assure-t-il avec un grand sourire, mais je voudrais être certain que tout va bien se passer avec Marguerite.

— Pas de problème ! Attachez vos ceintures, on décolle !

Rose éclate de rire. Elle adore faire des blagues.

Papa a les yeux rivés sur la route tandis que Rose n'arrête pas de parler. Elle fait semblant de ne pas remarquer qu'il surveille les feux de circulation, prêt à intervenir à la moindre erreur d'inattention. Je sens qu'il est tendu à la manière dont sa main à droite agrippe la poignée intérieure qui se trouve au-dessus de sa portière.

De temps à autre, Rose jette un rapide coup d'œil dans son rétroviseur. Elle me demande :

— Ça va, Marguerite ? On arrive bientôt !

C'est la première fois que je visite une animalerie. Je ne me sens pas très à l'aise. Mais Rose me prend par la main et m'entraîne vers la section des petits rongeurs.

— Je vais te présenter « Tites Dents »…

Rose se penche au-dessus de l'enclos qui abrite une famille de minuscules lapins serrés les uns contre les autres. Elle en soulève un avec précaution.

— Tu veux le prendre ? Il est très gentil, tu sais.

Voyant que j'hésite, Rose prend ma main et la pose doucement sur le dos de l'animal. Un frisson parcourt la fourrure noire du lapin. Je frémis moi aussi. Rose me sourit.

— Les lapins sont de petits êtres très sensibles. Ils détestent le bruit et les mouvements brusques, comme toi, Marguerite.

Rose dépose « Tites Dents » et en choisit un autre, couleur caramel.

— Lui, c'est « Tites Griffes ». Il a un mois. C'est un lapin nain. Il ne grossira plus.

— Ils ont tous des noms ? s'étonne papa.

Rose lui jette un regard malicieux.

— Seulement mes préférés. Venez avec moi, je vais vous présenter Azim.

Je me retrouve le nez collé à la paroi d'un énorme aquarium à demi rempli d'eau. De toutes petites tortues agitent frénétiquement leurs pattes pour maintenir leur cou tendu hors de l'eau. D'autres, un peu plus grosses, se sont hissées sur une plateforme placée directement sous une lampe chauffante. Rose s'adresse à la plus imposante d'entre elles :

— Salut, Azim. Encore en train de te faire bronzer, espèce de paresseuse !

À ma grande surprise, la tortue ouvre lentement les yeux et tourne la tête vers Rose.

— As-tu faim, ma belle ?

La tortue étire le cou. Papa s'approche pour ne pas rater la suite.

Rose ouvre l'armoire dans laquelle les employés rangent la nourriture des reptiles. Elle choisit un sachet.

— Azim est très gourmande, explique-t-elle. Elle aime la laitue, le poisson et les fruits. Mais ce qu'elle préfère, ce sont les crevettes séchées.

Elle en prend une pincée qu'elle laisse tomber dans le bec ouvert de la tortue. Je suis étonnée de la rapidité avec laquelle Azim a happé la nourriture.

— C'est une tortue à oreilles rouges, précise Rose. On l'a trouvée dans une boîte à chaussures, un samedi matin. Quelqu'un l'avait laissée devant la porte du magasin. Comme elle était en bonne santé, on a décidé de la garder.

— Ça vous arrive souvent de recueillir des animaux abandonnés ? demande papa.

— Beaucoup trop souvent. La plupart du temps, ce sont des portées de chatons ou de chiots. Malheureusement, on ne peut pas les vendre. Alors, on les envoie dans un refuge en espérant que quelqu'un voudra bien les adopter. Et puis, il y a tous ceux qui abandonnent leur animal quand ils découvrent qu'il a une malformation physique, un caractère difficile ou tout simplement une personnalité qui ne correspond pas à leurs attentes.

Tandis que Rose poursuit ses explications, Azim me fixe de son petit œil vif, comme si elle souhaitait engager la conversation avec moi. C'est vrai que nous avons au moins un point commun : moi aussi, j'étais un bébé en santé. Mais ce n'était qu'une apparence. J'ai un caractère difficile, comme tous ces animaux qui ne correspondent pas aux attentes de leurs maîtres. Je ne suis pas la petite fille dont mes parents rêvaient. Heureusement que mon père ne m'a pas abandonnée, lui. C'est certain que personne n'aurait voulu de moi. Je me demande ce que deviennent les petits chats qui ne sont pas adoptés…

Papa a remarqué que j'étais songeuse. Avec douceur, il me prend par la main.

— Viens, Marguerite. On continue notre visite…

Tous les employés que nous croisons saluent Rose gentiment. Certains la taquinent d'être venue au magasin alors qu'elle est en congé. L'un d'eux s'attarde un peu plus longtemps. Il se penche vers elle et lui chuchote quelques mots à l'oreille avant de s'éloigner en sifflotant, les deux mains dans les poches. Rose a un petit rire gêné. Ses joues ont rosi quand elle se tourne vers moi.

— Tu veux voir les chatons et les chiots, Marguerite ?

Nous passons devant la section des oiseaux exotiques. Un gros perroquet aux couleurs éclatantes se dandine sur son perchoir en poussant des cris rauques :

— ROÂ-ÂÂÂK ! ROÂ-ÂÂÂK ! KROÂÂÂ ! KROÂÂÂ !

Il donne de grands coups de bec au reflet que lui renvoie un miroir suspendu à une longue chaîne.

Derrière les barreaux de leurs cages, les perruches jacassent :

— TWILIT ! TWITWIT ! TWILIT ! TWITWIT !

Certaines d'entre elles se chamaillent en criant à tue-tête. C'est une véritable cacophonie :

— KROÂ-KROÂ ! TWILIT ! TWITWIT ! KROÂÂÂ ! ROÂ-ÂÂÂK ! KROÂÂÂ ! KROÂ-KROÂ-KROÂ !

Rose est si heureuse de nous faire visiter l'animalerie qu'elle ne réalise pas combien cet environnement me perturbe. Je n'entends plus ce qu'elle dit et je sens que je vais bientôt me mettre à hurler pour couvrir cet insupportable tapage.

Papa s'en aperçoit. Il intervient aussitôt :

— Je crois que nous allons rentrer, Rose. Marguerite est fatiguée. Nous reviendrons une autre fois.

Chapitre treize

À l'université, Rose a continué d'étudier les plantes et les animaux. Elle avait troqué son vieux sac à dos pour un plus gros. Il était très lourd à cause de tous les livres qu'elle transportait. Elle me laissait les feuilleter, après mes devoirs, à condition que je tourne doucement les pages. Les textes scientifiques étaient trop compliqués pour moi, mais les photos et les dessins captaient toute mon attention.

Un été, vers la fin du mois de juillet, elle a décidé de m'emmener à la chasse aux papillons.

— Nous faisons une recherche sur le papillon monarque à la prochaine session et je dois capturer quelques spécimens pendant la saison de l'accouplement, a-t-elle expliqué à papa. J'ai vu des plants d'asclépiades dans un grand champ, pas très loin d'ici. C'est sur cette plante que les femelles pondent leurs œufs. Je montrerai à Marguerite comment les reconnaître.

À quelques kilomètres de la maison, Rose arrête sa voiture en bordure d'un chemin de terre. Elle sort son équipement :

un grand filet, des pots en plastique, de la ouate et un produit destiné à conserver les insectes capturés.

— De l'éther acétique, me dit-elle, en manipulant avec précaution le petit pot en question.

Je regarde autour de moi.

Je ne vois pas de papillons.

En revanche, j'aperçois plein de marguerites. Ça me rassure d'être entourée des fleurs qui portent mon nom. C'est comme si je me multipliais à l'infini.

Je m'assois sur une grosse pierre plate. Rose n'arrête pas de bondir à droite et à gauche, en brandissant son grand filet, dans l'espoir de capturer ses précieux monarques.

De temps à autre, elle pousse un cri de victoire. L'instant d'après, je l'entends s'excuser auprès de l'infortuné papillon qu'elle vient d'enfermer dans un contenant au fond duquel elle a déposé une ouate imbibée d'éther :

— Doucement, doucement. Ça ne fera pas mal... c'est promis... là... là...

Il lui arrive à quelques reprises d'attraper malgré elle une sauterelle qu'elle s'empresse de libérer.

— Allez, ma grosse, c'est ton jour de chance. Sauve-toi !

Rose parle aux insectes avec le même naturel qu'elle parle aux humains. Elle retourne les feuilles d'asclépiade pour vérifier s'il y a des œufs de monarque. Soudain, elle s'exclame :

— Un scarabée bleu métallique ! Viens voir, Marguerite !

Voyant que je ne bouge pas, elle recueille l'insecte avec précaution et vient me le montrer.

— Regarde comme il est magnifique !

Dans l'écrin de ses mains, le scarabée scintille comme une pierre précieuse.

Rose s'est assise près de moi. Elle se penche pour cueillir une marguerite.

— Quelle belle fleur sauvage ! Elle fait partie de la famille des Astéracées.

Rose connaît des noms de fleurs très compliqués. Elle en profite pour préciser :

— Le nom de cette famille provient du mot « aster » qui signifie « astre », comme le soleil et les étoiles.

Elle me révèle que toutes les fleurs de la famille des Astéracées ont une forme étoilée.

— Quand on la regarde, on croit qu'il s'agit d'une seule fleur. Mais en réalité, la marguerite est composée d'un très grand nombre de fleurs. Les blanches, qui entourent le centre et auxquelles on donne à tort le nom de pétales, sont des fleurs femelles en forme de languettes. Elles fleurissent en premier. Les fleurs jaunes, au centre, sont beaucoup plus nombreuses. Il y en a plus de mille. La plupart des gens l'ignorent, mais elles sont à la fois mâles et femelles. C'est fascinant, n'est-ce pas ?

Rose me tend la fleur et ajoute :

— Tu as de la chance d'avoir un si joli prénom !

C'est la première fois que je réalise combien j'ai de la chance : j'appartiens à la famille des étoiles et je porte en moi des milliers de fleurs. Mais ça, les autres ne le voient pas.

Rose détache une à une les languettes blanches de la marguerite.

— Je l'aime… un peu… beaucoup… passionnément…

Voyant que je l'observe avec intérêt, elle s'interrompt pour m'expliquer :

— C'est un jeu très ancien que ma mère m'a appris. Autrefois, quand une fille était amoureuse, elle effeuillait la marguerite pour savoir si le garçon qu'elle aimait était amoureux d'elle et combien elle aurait d'enfants.

Rose est amoureuse du garçon de l'animalerie. Celui qui sifflotait, les deux mains dans les poches. Ça fait deux ans qu'ils sortent ensemble. Il a vingt-deux ans, comme elle, et c'est le plus beau gars du monde. C'est elle qui me l'a dit.

— Il m'aime… un peu… beaucoup… passionnément…

Il ne reste qu'une languette blanche à détacher.

— ... à la folie !

Rose pince le cœur de la marguerite entre son pouce et son index pour en extraire les minuscules fleurs jaunes qui s'éparpillent dans le creux de sa main.

— Voyons voir combien j'aurai d'enfants. Tu es prête ? Hop !

D'un petit coup sec, elle frappe le dessous de sa main droite et penche la tête pour compter le nombre de fleurs qui sont retombées.

Il n'y en a pas.

Le vent les a toutes emportées.

Je me demande si ma mère a déjà effeuillé une marguerite pour savoir combien elle aurait d'enfants.

Chapitre quatorze

À notre retour, il faisait très chaud. Rose a baissé les vitres de la voiture pour créer un courant d'air. Tandis que nous roulions, mes cheveux tourbillonnaient allègrement dans le vent. J'ai fermé les yeux pour mieux savourer l'agréable sensation d'apesanteur qui montait en moi et me donnait l'illusion de m'envoler.

En arrivant, Rose a tendu un plant d'asclépiade à mon père en lui recommandant de le mettre très vite dans un vase rempli d'eau.

— … pour que les feuilles restent bien fraîches, a-t-elle précisé.

Papa a placé la plante sur le comptoir de la cuisine, près de la fenêtre qui surplombe l'évier. Sous une des feuilles de l'asclépiade, il y avait une surprise pour moi : une minuscule chenille avec des rayures blanches, jaunes et noires qui grignotait sans arrêt. Elle était très gloutonne.

— Si un bébé mangeait autant qu'elle, a dit Rose, à l'âge de deux mois, il pèserait aussi lourd que deux éléphants. Tu te rends compte ?

Du même souffle, elle m'a expliqué pourquoi les monarques femelles choisissent uniquement les feuilles d'asclépiades pour y pondre leurs œufs.

— Il y a un poison à l'intérieur de la tige et des feuilles de la plante. Les monarques sont immunisés, mais pas les oiseaux ni les araignées. Ça les rend malades et ça peut même les tuer. Dès que la chenille sort de l'œuf, elle se met à grignoter les feuilles et, du même coup, elle avale le poison. Ça la protège des prédateurs qui n'osent pas la manger.

J'enviais la chenille du monarque. Elle savait se protéger de ceux qui pouvaient lui faire du mal. Pas moi.

En sixième année, il y avait un garçon qui m'appelait *Marguerite la truite*. Il disait que j'avais des yeux de poisson et que je sentais mauvais. Dès que monsieur Victor avait le dos tourné, il s'amusait à faire rire les autres en ouvrant bêtement la bouche : «Blop! Blop!»

Le 1ᵉʳ avril, quand nous sommes revenus de la récréation, un poisson avait été dessiné à la craie sur toute la longueur du tableau. En dessous, c'était écrit en lettres majuscules : MARGUERITE.

J'ai entendu des rires et j'ai vu que certaines filles se poussaient du coude en me regardant du coin de l'œil.

Je me suis assise à ma place, devant le bureau de monsieur Victor, et j'ai observé le dessin. Il manquait des détails importants. Je l'ai remarqué tout de suite parce que Rose m'a déjà montré un schéma qui permet d'identifier les différentes parties du corps d'un poisson. J'étais sur le point de me lever pour les ajouter lorsque monsieur Victor est entré dans la classe. Il s'est arrêté tout net quand il a vu le poisson avec mon nom écrit en dessous.

— Qui a fait ça ? a-t-il demandé, en promenant son regard sur toute la classe.

Au timbre de sa voix, tout le monde a compris qu'il était très en colère. Le garçon aussi. Il n'a pas osé lever la main. Monsieur Victor a dit :

— Depuis le début de l'année, nous avons discuté plusieurs fois du droit à la différence. Je vois que nos discussions n'ont pas porté leurs fruits. Vous allez donc y réfléchir ce soir et m'écrire pourquoi il est important de respecter les particularités des autres.

J'ai réfléchi longuement sur le sujet et Rose m'a aidée à rédiger mon texte. Le lendemain, comme tous les autres élèves, je l'ai remis à monsieur Victor. En début d'après-midi, il a invité quelques-uns d'entre nous à lire ce qu'ils avaient écrit. Quand mon tour est venu, je me suis levée et j'ai lu avec application :

— Papa dit… que je suis… différente… tout simplement… Maman… aurait… simplement aimé… que tout… soit différent… Moi aussi… J'y travaille très fort… même si… apparemment… ça ne fait pas… beaucoup… de… différence…

J'ai planté mon regard dans celui du garçon assis au fond de la classe.

Cette fois, c'est lui qui a baissé les yeux.

C'était ma dernière année au primaire. La plus difficile depuis que j'allais à l'école. Monsieur Victor était souvent obligé de me répéter les consignes parce que je ne comprenais pas ce qu'il attendait de moi.

En juin, mon enseignant a demandé à me rencontrer avec mon père. Il nous a annoncé que j'étais admise en première secondaire, à la polyvalente, à condition de fréquenter une classe spécialisée.

— Marguerite fait des efforts considérables, a-t-il précisé. Malgré tout, je constate qu'il est de plus en plus difficile pour elle de suivre le rythme des autres élèves. Dans ces classes à effectifs réduits, un encadrement spécifique est offert aux jeunes qui, comme votre fille, présentent un diagnostic de trouble dans le spectre de l'autisme. Les services professionnels adaptés qu'ils reçoivent les aident à faire face aux difficultés qui affectent leur fonctionnement et leurs apprentissages scolaires.

J'ai retenu mon souffle, croyant que mon père allait s'emporter comme il l'avait fait lors de mon entrée en maternelle. Mais il est demeuré très calme et il a écouté monsieur Victor avec beaucoup d'attention. Après, il s'est frotté plusieurs fois le menton avant de se tourner vers moi.

— Si Marguerite est d'accord, a-t-il dit d'une voix très douce, je crois que c'est la meilleure solution. Qu'en penses-tu, ma p'tite fleur ?

J'étais soulagée que papa accepte de m'inscrire dans une classe spécialisée. Pour le lui prouver, je l'ai regardé droit dans les yeux, et j'ai dit :

— D'accord !

Chaque matin, avant de déjeuner, j'observe la chenille. Elle a mangé presque toutes les feuilles du plant d'asclépiade. Rose avait raison. Elle grossit à vue d'œil!

— Dans une dizaine de jours, peut-être moins, il va se passer quelque chose de magique, a promis Rose.

C'est arrivé un matin, pendant que j'étais chez le dentiste. Quand nous sommes rentrés à la maison, la chenille avait disparu. À la place, il y avait une sorte de petite coquille d'un beau vert jade.

— C'est une chrysalide, a dit papa. La chenille est enfermée à l'intérieur maintenant. Elle va se transformer en papillon. Si nous avons de la chance, nous assisterons à sa naissance.

Comme tous les mercredis, Rose est arrivée en fin d'après-midi. Je lui ai montré la chrysalide. Elle était tout excitée.

— C'est fantastique, Marguerite! Tu as vu cette ligne et ce petit point? On dirait qu'ils ont été tracés au pinceau avec de la peinture dorée. Il n'y a rien de comparable aux chefs-d'œuvre de la nature.

Rose avait fabriqué un calendrier pour que je puisse fixer dans ma mémoire le nombre de jours qui nous séparaient de la naissance du papillon. Elle savait que j'adore les chiffres à cause de leur caractère immuable. Quoi qu'il arrive, ils ne changent pas. Ce sont toujours les mêmes. C'est très sécurisant pour moi de les reconnaître et de les énumérer.

Après une dizaine de jours, le beau vert jade de la chrysalide a viré au gris. Cela m'a inquiétée. Mais Rose s'est empressée de me rassurer.

— C'est une étape tout à fait normale, Marguerite. Tu vas voir, elle va bientôt devenir transparente.

Trois jours plus tard, je pouvais en effet distinguer les ailes du monarque à travers les fragiles parois qui l'abritaient.

— Il va bientôt sortir, a prédit mon père.

Il avait raison. Le lendemain, à mon réveil, la chrysalide était entrouverte.

— Je vais prévenir Rose! s'est écrié papa en se précipitant vers le téléphone.

Elle est arrivée juste à temps. Devant nos yeux émerveillés, le monarque a extrait péniblement une de ses ailes, toute chiffonnée, puis l'autre. Son abdomen était gonflé et une sorte de liquide orangé en sortait.

— Il va pomper ce liquide jusque dans ses ailes pour les défroisser, a expliqué Rose qui en savait beaucoup plus que mon père sur le sujet.

Pendant près d'une heure, le papillon a agité ses ailes afin de les sécher. Je n'ai pas bougé, tellement j'étais envoûtée par ses mouvements amples et réguliers.

— Quelle beauté ! a murmuré papa.

— Présente-lui ta main, Marguerite, m'a suggéré Rose.

J'ai tendu ma paume. Le monarque y est monté en toute confiance. Après un moment, papa a dit :

— Il faut lui rendre sa liberté maintenant. Il n'a plus besoin de nous.

Nous sommes sortis tous les trois. Je me suis avancée au milieu de la cour, sur la pointe des pieds, le cœur battant, le bras levé vers le ciel, et j'ai attendu que le papillon tout neuf se décide à nous quitter. Il n'était pas pressé. Cela se voyait à la façon dont il a tourné en rond plusieurs fois avant d'avancer lentement jusqu'au bout de mes doigts tendus.

Soudain, il a pris son envol. Il tournoyait un peu maladroitement, mais il a très vite pris de l'assurance en montant vers le ciel. Je l'ai suivi du regard, tandis qu'il virevoltait, jusqu'à ce que je le perde de vue.

Un jour, peut-être, je parviendrai moi aussi à m'extraire de ma chrysalide pour voler de mes propres ailes, en toute liberté.

Chapitre quinze

Peu de temps après la naissance du monarque, Rose m'a montré des photos d'elle à cheval. Elle a dit :

— Ça te plairait de venir avec moi à l'écurie ?

— ... à l'écurie ?

— Si ton père est d'accord, je pourrais te présenter César. C'est le cheval que je monte quand je prends mes leçons d'équitation.

Papa avait encore en mémoire l'épisode de l'animalerie, trois ans auparavant.

Moi aussi.

Je n'avais jamais manifesté le désir d'y retourner.

Rose a insisté sur le fait que j'avais maintenant douze ans. Voyant qu'il hésitait à dire oui, elle a promis de ne pas brusquer les choses et d'être très attentive à mes réactions. Elle lui a même proposé de nous accompagner, mais il a refusé. Il a dit qu'il en profiterait pour faire un peu de ménage dans le garage.

C'est la première fois que je mets les pieds dans une écurie. Je ne suis pas rassurée. Il fait un peu sombre et l'odeur forte du foin mélangée à celle du crottin me fait grimacer.

— Ça pue !

Rose éclate de rire.

— Tu n'aimes pas le parfum des chevaux, Marguerite ? Ne t'en fais pas, tu vas t'y habituer.

Pour me taquiner, elle ajoute :

— Tu vas même finir par trouver que ça sent terriblement bon !

Les chevaux ont l'ouïe fine et ils sont très curieux. Dès notre arrivée, quelques-uns ont sorti la tête de leur box. Ils nous regardent venir, les oreilles pointées vers l'avant. Certains renâclent bruyamment et donnent des coups de sabots dans leur porte. D'autres poussent des petits hennissements. J'attrape la main de Rose qui s'empresse de me rassurer :

— N'aie pas peur, Marguerite. Les chevaux utilisent autant leur corps que leur voix pour parler. C'est leur façon de nous dire bonjour. Ils sont contents d'avoir de la visite.

Des noms sont écrits sur des plaquettes de bois clouées sur la porte de chaque box. Tandis que nous remontons lentement l'allée, Rose se fait un plaisir de me les présenter :

— Le grand brun, c'est Tornade... Le blanc, en face, s'appelle Pégase... Celle-ci, c'est Jolly Jumper... Et voilà grand-maman...

J'écarquille les yeux d'étonnement, tandis que Rose poursuit :

— ... Cette bonne vieille Lollypop a trente-deux ans. Ça équivaut à quatre-vingt-seize ans pour un humain. Tu te rends compte ? Maintenant, il n'y a que les enfants qui la montent, à cause de ses rhumatismes.

Les paupières mi-closes, Lollypop mâchouille paisiblement son foin. Elle paraît indifférente à notre présence. Mais je suis bien placée pour savoir qu'il ne faut pas se fier aux apparences.

— Bonne journée, Lolly ! lance Rose, avant de m'entraîner plus loin.

Un petit cheval noir se met à piaffer en nous voyant approcher. Nous faisons une deuxième halte, le temps que Rose m'explique :

— Lui, c'est Capitaine, un descendant des premiers chevaux qui sont arrivés en Nouvelle-France pour défricher les terres. Ça fait déjà plus de trois cent cinquante ans et la race a bien failli disparaître à deux reprises, depuis. C'est un cheval de petite taille, mais il est fort et très rapide. C'est pour ça qu'autrefois, on l'appelait le petit cheval de fer.

Dans le box suivant, deux chevaux se pressent l'un contre l'autre. Ils sont plus petits que moi. La couleur de leur épaisse crinière blonde contraste avec celle de leur corps dodu, d'un beau brun chocolat.

— Salut, les cocottes ! s'écrie Rose en se penchant pour les caresser. Boucle d'or et Frou-Frou sont des poneys Shetland. Deux petites sœurs aussi dociles qu'attachantes. Ce sont les chouchous de l'écurie.

Je n'arrive pas à distinguer ces juments tellement elles se ressemblent.

— Et maintenant, annonce Rose avec emphase, prépare-toi à rencontrer le plus beau, le plus vaillant, le plus fier, le plus intelligent, le plus...

Un hennissement sonore interrompt cette enthousiaste description. Rose éclate de rire.

— Tu l'entends, Marguerite? César est d'accord avec moi.

De tous les chevaux de l'écurie, César est sans aucun doute le plus imposant. Je me demande comment Rose s'y prend pour monter sur son dos. Il incline la tête vers nous et j'entrevois, à travers les crins de son toupet, une marque blanche en forme de croissant de lune sur son front.

— Comment ça va, mon p'tit chou? murmure Rose en laissant glisser une main légère sur les naseaux frémissants du cheval.

On dirait qu'elle ne se rend pas compte de la taille impressionnante de César.

— Tu aimerais avoir une gâterie, mon beau bébé? lui demande-t-elle.

Elle lui chuchote des mots doux auxquels il répond en hochant la tête. Leur complicité m'intrigue.

Rose a apporté un sac de carottes. Elle en offre une à César qui s'empresse de la croquer.

— Je veux que tu rencontres mon amie, annonce-t-elle en soulevant le lourd loquet qui retient la porte du box. Elle s'appelle Marguerite...

Je garde prudemment mes distances. Le cheval aussi. Rose m'explique qu'il doit d'abord se familiariser avec mon odeur. Elle ajoute :

— Après, il ne t'oubliera plus jamais !

Je me suis assise sur un tabouret pendant que Rose brossait César. Fidèle à ses habitudes, elle tenait à m'enseigner chacune des étapes du pansage des chevaux.

— On commence toujours avec l'étrille. Il faut frotter vigoureusement en faisant des cercles pour soulever les poils et décoller la poussière...

Le cheval m'observait du coin de l'œil, l'air de dire : « Ne t'inquiète pas, Marguerite, tout va très bien ». Peu à peu, son calme a eu raison de ma nervosité et la fascination l'a emporté sur la peur.

— ... Avec la brosse dure, c'est le contraire. On suit le sens du poil...

La voix de Rose me parvenait de moins en moins distinctement à mesure que je me laissais envelopper par la force et l'énergie qui émanaient de César.

— ... et pour faire briller le poil, poursuivait Rose, on termine avec la brosse douce.

J'ai tendu impulsivement mon bras en direction du cheval, mais j'étais trop loin de lui pour le caresser et mes doigts se sont agités dans le vide. J'avais mal calculé la distance, comme ça m'arrive souvent. Rose s'est retournée. Elle a vu mon geste et a tout de suite deviné mon désir.

— Viens, Marguerite. C'est à ton tour !

Je me suis approchée timidement et j'ai pris la brosse qu'elle me tendait. Je l'ai glissée légèrement sur le flanc de César. Il a tourné la tête vers moi.

— C'est très bien, m'a encouragée Rose, il est content que tu t'occupes de lui. C'est la meilleure façon de devenir son amie. Continue Marguerite.

Chapitre seize

Je suis retournée plusieurs fois à l'écurie. C'est moi qui transportais le sac de carottes dans mon vieux sac à dos bleu constellé d'étoiles.

— Tu offriras les friandises, avait décrété Rose.

À chacune de mes visites, je m'arrêtais devant le box de Lollypop. Parfaitement immobiles, l'une et l'autre, nous entreprenions une conversation muette qui prenait fin au moment où la jument secouait sa courte crinière.

J'attendais ce signal pour fouiller dans mon sac. Lollypop répondait à son tour à mon geste en s'avançant vers moi. Les lèvres retroussées, elle attrapait du bout de ses dents usées la carotte que je tenais du bout de mes doigts. Puis, elle me tournait le dos et retournait rêvasser dans son coin.

Ce rituel accompli, je rejoignais Rose, une ébauche de bonheur prête à s'épanouir dans mon cœur. J'avais la profonde conviction que la vieille jument guettait mon arrivée et que ce face à face silencieux lui apportait autant de réconfort qu'à moi-même.

D'autres enfants, en grande majorité des filles, venaient à l'écurie pour prendre des leçons d'équitation. Elles bavardaient entre elles et me faisaient, de loin, un petit salut de la main. Je les suivais des yeux quand elles se dirigeaient vers le manège avec leurs chevaux.

Un jour, Rose a surpris mon regard. Elle m'a demandé :
— Tu aimerais monter à cheval, Marguerite ?
— … monter à cheval ?
— Tu pourrais monter Lollypop…
— … monter à cheval ?
— Vous êtes de grandes amies maintenant. Elle a confiance en toi.

J'étais d'accord, même si je n'avais pas vraiment répondu à la question.

Papa ne partageait pas l'enthousiasme de Rose. L'univers des chevaux ne lui était pas familier et il avait une peur bleue que je me blesse. Il a prétexté :
— Marguerite a du mal à coordonner les mouvements de ses bras et de ses jambes. Je ne vois pas comment elle pourrait se maintenir en selle.
— Nous commencerons en douceur, a assuré Rose.

Voyant que mon père n'était toujours pas convaincu, elle s'est lancée dans un long discours au cours duquel il a d'abord été question de ma façon de voir le monde.
— Les enfants autistes communiquent essentiellement avec leur corps. Ils vivent dans un monde dominé par les sensations. Les chevaux aussi. Ils sentent nos émotions et

perçoivent d'instinct ce que nous ne communiquons pas avec des mots.

Rose a ensuite parlé de «thérapie par le cheval». C'était très compliqué et je n'ai pas retenu tout ce qu'elle a dit. Mais je me souviens qu'elle a déclaré, en terminant :

— Les chevaux n'ont pas d'attente. Ils ne portent pas de jugement. Ce sont de merveilleux compagnons. Peut-on rêver mieux pour Marguerite ?

Papa s'est frotté le menton. Il hésitait encore, mais je sentais que les arguments de Rose l'avaient fortement impressionné. Il s'est finalement tourné vers moi.

— Si Marguerite est d'accord, a-t-il dit, je suis d'accord !

À mon tour, j'ai répété :

— D'accord !

Papa nous a accompagnées. Il tenait à être là quand je monterais à cheval pour la première fois. Devant ses yeux attentifs, j'ai participé avec sérieux au toilettage de Lollypop. Je connaissais par cœur les gestes que Rose répétait devant moi depuis des semaines.

Rose a enfilé une bride à Lollypop. Elle y a attaché une longe pour la conduire jusqu'au manège.

— Tu ne la selles pas ? a demandé papa.

— C'est préférable de monter à cru, pour commencer, a expliqué Rose. Comme ça Marguerite sentira mieux les mouvements du cheval.

Elle a saisi sa bombe et me l'a tendue.

— Mets ça sur ta jolie tête, Marguerite !

Un homme nous attendait au centre du manège. Je ne l'avais encore jamais vu. Rose l'a présenté à papa :

— Voici Carl, l'ami dont je vous ai parlé. Il va diriger la séance d'équithérapie de Marguerite.

— Salut, ma belle ! a dit Carl. On va commencer par faire marcher un peu Lolly en cercle. Ça va lui permettre de réchauffer ses muscles. Place-toi à côté de moi.

J'ai accompagné Carl pendant qu'il guidait Lollypop. Ensuite, il l'a amenée jusqu'au centre du manège et il m'a tendu la longe.

— À ton tour, Marguerite.

Dès que j'ai commencé à marcher, Lolly m'a suivie docilement. C'était super ! Avec Carl, nous avons effectué un second tour et nous sommes revenus au centre du manège.

— Tu t'en sors très bien, Marguerite ! a dit papa avec une grande fierté dans la voix.

— Comme une championne ! a renchéri Rose.

Carl a repris la longe et m'a expliqué comment monter sur le cheval.

— Tu es prête, Marguerite ?

— Je vais t'aider, a proposé Rose. Mets ton pied gauche dans ma main.

Je me suis hissée un peu maladroitement sur le dos de la vieille Lollypop. Sous mes fesses et à l'intérieur de mes cuisses, j'ai aussitôt senti la chaleur réconfortante qui émanait d'elle.

— Fais-lui un câlin, a suggéré Rose.

Carl m'a aidée à me pencher sur l'encolure de Lolly. J'ai entouré son cou de mes deux bras. Son poil était très doux et un peu moite contre ma joue. Je suis restée un moment à respirer son corps. Ce que Rose avait dit, la première fois que j'étais entrée dans l'écurie, était vrai. En peu de temps, j'en étais venue à aimer l'odeur si particulière des chevaux.

— Redresse-toi maintenant et essaie de tenir ton dos bien droit, a repris Carl.

J'ai baissé les yeux vers papa et Rose. C'était la première fois que je les voyais lever la tête pour me regarder. Ça m'a donné le vertige et j'ai eu peur de tomber.

— Tu peux tenir sa crinière, si tu veux. Ça ne lui fera pas mal et ça va t'aider à garder ton équilibre, m'a recommandé Rose.

J'ai agrippé fermement les crins rudes de Lollypop et Carl a dit :

— Nous allons faire lentement le tour du manège.

Quand Lolly s'est mise en marche, son balancement m'a prise par surprise et j'ai aussitôt resserré mon étreinte. L'œil exercé de Carl a tout de suite remarqué mes doigts crispés dans la crinière du cheval.

— Détends-toi Marguerite, tu ne risques rien, je suis là. Si tu sens que tu glisses, resserre un peu tes jambes pour te maintenir droite.

Lollypop, plus que tout autre, percevait ma nervosité et tentait de m'encourager en avançant aussi doucement que possible. J'ai fermé les yeux et je me suis laissée bercer par ses mouvements jusqu'à ce que les battements de mon cœur s'accordent parfaitement au rythme de ses pas.

— C'est très bien, a approuvé Carl.

Portée par Lollypop, je me sentais merveilleusement légère, libre, invulnérable. L'extase dans laquelle je baignais a toutefois pris fin lorsque Carl a annoncé :

— C'est terminé pour aujourd'hui, Marguerite. Mais si tu veux, et si ton papa est d'accord, on se revoit dimanche prochain.

J'étais d'accord.

Papa aussi.

Pourtant, je ne suis pas retournée à l'écurie.

Ni le dimanche suivant ni ceux d'après.

Je suppose que Lollypop a guetté mon arrivée. Peut-être m'a-t-elle oubliée ? J'ignore si elle est toujours en vie. Elle aurait plus de trente-cinq ans aujourd'hui.

C'est beaucoup pour un cheval.

Chapitre dix-sept

Le samedi qui a suivi la séance d'équithérapie avec Carl, je me suis enfuie de la maison. Comme ça, sans autre raison que celle de vouloir être ailleurs.

J'étais descendue dans *le bureau de mademoiselle Marguerite* pour regarder mon émission de télé préférée, et j'ignore pourquoi, mais je me suis soudain sentie étrangère à tout ce qui m'entourait. La gorge nouée et les mains moites, en proie à un malaise de plus en plus grand, je me suis levée et je suis montée à l'étage comme une automate. Rose me tournait le dos quand je suis passée devant la cuisine. Elle parlait au téléphone avec sa copine Jade.

Je suis assise dans une salle percée d'une large fenêtre par laquelle je vois une dame installée derrière un bureau. Elle porte un uniforme semblable à celui des deux policiers qui m'ont emmenée au poste et passe son temps à parler dans une sorte de micro attaché à son oreille tout en pianotant sur le clavier de son ordinateur. De temps en temps, elle jette un coup d'œil dans ma direction et me fait un petit salut amical de la main.

À ma gauche, il y a une longue rangée de chaises vides. Peut-être que d'autres jeunes fugueurs vont bientôt s'y asseoir et attendre, comme moi, que leur père vienne les chercher ?

Sur la table basse qui me fait face, des magazines s'étalent pêle-mêle. J'entreprends de les placer les uns sur les autres en les alignant de manière à former une pile parfaitement droite.

Le policier qui m'a offert le cornet de crème glacée dit :

— On a prévenu ton papa, Marguerite. Il va arriver dans quelques minutes. Tu vas patienter sagement ici. D'accord ?

Il est gentil, ça s'entend dans le ton de sa voix. Peut-être qu'il a des enfants. Avant de me laisser seule, il s'est dirigé vers une étagère où sont empilés des livres.

— Tu veux lire une bande dessinée ?

— …

Voyant que je ne répondais pas, il s'est frotté le menton et j'ai compris qu'il était mal à l'aise.

— Je serai à côté si tu as besoin de quelque chose, a-t-il ajouté avant de refermer doucement la porte derrière lui.

Je n'ai pas envie de lire. Je préfère regarder la grosse horloge ronde qui est accrochée au mur. Surveiller le déplacement des aiguilles est un de mes jeux préférés. Quand j'étais petite, j'y jouais souvent avec la montre de papi Léo. C'est lui qui m'a expliqué que le mouvement silencieux de la grande aiguille entraîne la petite aiguille à bouger. Elle est super lente, celle-là. Son mouvement est imperceptible, mais j'arrive quand même à le suivre en comptant toujours au même rythme jusqu'à soixante.

Sur le cadran jauni de l'horloge qui me fait face, la petite aiguille pointe le quatre et la grande est orientée vers le deux. Il y en a une troisième qui bouge à vue d'œil : longue, très fine et beaucoup moins discrète que les deux autres. Elle tressaute, comme si elle avait le hoquet, chaque fois qu'elle avance d'un pas : toc… toc… toc… toc…

Je l'accompagne dans son inlassable ronde :

— … toc… toc… toc… dix… toc… toc… toc… toc… onze… toc… toc… toc… toc… douze.

TOC ! La grande aiguille a bougé !

Je recommence à compter…

Une voix m'a tirée abruptement de ma contemplation :

— Ton père est là, Marguerite !

Par la porte ouverte, j'ai à peine eu le temps de reconnaître la tête du policier qu'une autre personne est entrée en coup de vent, comme si elle était poursuivie par une bête féroce. L'image de Doris, le chien de la ruelle, s'est aussitôt imposée à ma mémoire. J'ai fermé les yeux et j'ai agité vivement les bras pour repousser son assaut.

— N'aie pas peur, ma p'tite fleur, c'est moi !

J'ai reconnu la voix de mon père, mais j'ai tout de même attendu que cet affreux souvenir s'estompe, avant d'ouvrir les yeux. Après seulement, j'ai réalisé que papa était agenouillé devant moi. Il a dit :

— Viens, Marguerite, on s'en va chez nous.

J'ai ouvert la main pour prendre la sienne.

— Tu as fait tomber quelque chose, ma belle, a lancé le policier, en pointant le sol de son index.

Sur le tapis usé, j'ai aperçu une tache rose. Ma petite plume !

Papa l'a ramassée et me l'a tendue. Elle était toute chiffonnée. Je l'ai lancée en l'air, croyant qu'elle allait de nouveau virevolter avec grâce. Mais elle avait perdu cette sublime légèreté qui m'avait ensorcelée. Du coup, elle ne m'intéressait plus et j'ai détourné la tête quand mon père l'a jetée, en passant devant une corbeille.

Je croyais retrouver Rose en rentrant à la maison, mais quand nous sommes arrivés, elle n'était plus là. Papa n'a rien dit. Moi non plus.

Le lendemain, c'était dimanche. Sur mon calendrier, j'avais noté en grosses lettres : ÉCURIE.

À l'heure habituelle, je me suis installée près de la fenêtre du salon pour guetter l'arrivée de la petite voiture rouge qui ne tarderait pas à se garer devant la maison. J'attendais depuis un moment et je commençais à m'agiter quand papa a murmuré :

— C'est bizarre… Ce n'est pas dans les habitudes de Rose d'être en retard. Elle me prévient toujours quand elle prévoit des changements au programme. Je vais lui téléphoner.

Il est entré dans la cuisine tandis que je gardais les yeux rivés sur la rue. Rose n'était pas chez elle. J'ai entendu que papa parlait à quelqu'un d'autre. Soudain, il a juré très fort. Puis, il a baissé la voix de sorte que je n'entendais plus rien de sa conversation. Je crois qu'il avait raccroché depuis un certain temps quand il s'est approché de moi en se frottant le menton.

— Rose ne viendra pas, a-t-il fait d'une voix étranglée.

J'ai senti qu'il était bouleversé et j'ai cru qu'il allait pleurer quand il a ajouté :

— Je suis désolé, Marguerite. Vraiment désolé.

Le mercredi suivant, Rose n'est pas venue me dire bonjour, en sortant de son travail, comme elle avait l'habitude de le faire depuis le début de l'été.

Le samedi, je me suis assise sur les marches du perron avec mon père et j'ai compté les voitures qui passaient dans la rue. Aucune d'elles ne s'est arrêtée devant notre maison. Le soir venu, je n'ai pas osé regarder mon calendrier.

Le dimanche, j'ai demandé à papa de s'asseoir à nouveau avec moi. Il m'a plutôt proposé un pique-nique au parc.

— Nous mangerons des croustilles et nous boirons des boissons pétillantes ! a-t-il lancé en croyant que cette entorse exceptionnelle à ses principes concernant la saine nourriture me ferait plaisir.

Il avait tort, cette fois encore. Le mot PIQUE-NIQUE n'était pas prévu à mon horaire de la journée. Ça m'a mise en colère et j'ai crié de toutes mes forces :

— NOOOONNNNN !

J'ai couru me réfugier dans ma chambre en proie à une incontrôlable fureur. Là, j'ai attrapé un gros marqueur et j'ai noirci rageusement mon calendrier pour que disparaissent de ma vue les jours où Rose avait écrit son prénom en bleu.

J'ai fini par arracher toutes les pages sans parvenir à atténuer la souffrance qui me mordait cruellement le ventre. Alors, j'ai continué à barbouiller le mur à grands coups de feutre noir en hurlant pour effacer de mes pensées les phrases qui tournaient, tournaient, tournaient dans ma tête :

C'est ma faute…

Si je ne m'étais pas enfuie, Rose serait encore là…

Si je n'étais pas autiste, ma mère serait encore là…

Si je n'étais pas née, tout ça ne serait jamais arrivé…

Après, je ne me souviens plus. Un puissant tsunami m'a engloutie et j'ai perdu toute notion du temps.

Chapitre dix-huit

C'est par bribes éparses que je suis parvenue à récupérer les souvenirs des événements qui m'ont amenée, au cours des deux dernières années, à découvrir la vérité à propos de la disparition de Rose et de celle de ma mère.

Un matin, papa a décidé de mettre à la poubelle le dernier message qu'il avait écrit à l'intention de Rose. Il a hésité et j'ai cru qu'il allait aussi jeter le bouquet de fleurs aimanté qui, depuis des années, retenait le papier contre la porte du frigo. Mais après s'être frotté plusieurs fois le menton, il l'a remis à sa place.

Il n'a rien dit.
Moi non plus.
J'avais cessé d'espérer.

C'était l'automne, il faisait froid et il pleuvait très fort. Je me suis approchée de la fenêtre de la cuisine et j'ai appuyé mon front contre la vitre sur laquelle tambourinaient durement les gouttes d'eau. Sous l'action de mon souffle chaud, le spectacle désolant de la cour boueuse s'est voilé peu à peu tandis que j'implorais le vent et la pluie d'arracher de ma mémoire, telles les feuilles d'automne, le souvenir de Rose.

Papa s'est approché. Du bout de son index, il a dessiné deux yeux, un nez et une bouche souriante dans la buée. Puis, il m'a embrassée sur le front en disant :

— Je descends à mon bureau, Marguerite.

Au bout d'un moment, deux grosses larmes sont apparues aux coins des yeux. Elles ont roulé en zigzaguant lentement jusqu'au bas de la vitre. J'ai attendu que le visage tout entier se liquéfie, avant de descendre à mon tour au sous-sol.

Je pose une grande feuille de papier aquarelle sur ma table de travail, je remplis d'eau un gobelet et je sors mes pinceaux.

C'est la première fois que je m'installe pour peindre depuis que Rose n'est plus là. Mes gestes sont saccadés et je renverse de l'eau un peu partout.

— Ça va ? s'inquiète papa qui me regarde mouiller abondamment le papier à grands coups de pinceau.

Ça ne va pas du tout. Je m'en rends compte dès que je presse mes tubes : les couleurs qui en sortent ont perdu tout leur éclat. Elles ne m'apportent aucun réconfort.

La voix de Rose me chuchote à l'oreille : « Un peu d'eau… »

Je plonge mon pinceau dans le gobelet et l'en ressors tout dégoulinant...

«Un soupçon de couleur...»

D'un geste brusque, je mêle le bleu avec le jaune et le rouge...

«Délicatement, en te servant juste de l'extrémité des poils...»

J'écrase mon pinceau sur la surface détrempée et je le traîne plusieurs fois de haut en bas...

«Je ne te laisserai jamais tomber...»

Des créatures monstrueuses apparaissent, brunâtres comme les feuilles mortes qui pourrissent en tas dans la cour...

«Croix de bois, croix de fer, si je mens, je vais en enfer...»

Moi, je ne ferai jamais de promesses! Voilà ce que je répète dans ma tête tandis que de nouveaux monstres informes viennent rejoindre les autres. Certains s'étalent lamentablement sur le papier boursouflé où ils demeurent emprisonnés. D'autres parviennent à s'échapper en serpentant à toute vitesse dans les rigoles gorgées d'eau qui se sont formées. Ils terminent leur course en s'écrasant goutte à goutte sur le plancher.

Papa est sidéré. Il me regarde venir vers lui en tenant à bout de bras la grande feuille qui dégouline de partout.

— C'est... pour moi? se risque-t-il à me demander.

Sans hésiter, je réponds :

— C'est pour Rose!

Et du même souffle, j'ajoute :

— Plus jamais !

Le lendemain matin, ma colère était tombée. J'ai vu que papa avait déposé l'aquarelle des monstres sur sa table à dessin. En séchant, les vilaines créatures s'étaient ratatinées. Elles étaient moins repoussantes et, à les regarder de plus près, je ne les trouvais plus aussi détestables. Néanmoins, je n'avais pas changé d'avis : jamais plus je ne peindrais. J'avais trop peur d'enfanter de nouvelles chimères, de donner vie à mes pires cauchemars.

J'ai retiré mes pinceaux et mes tubes de couleurs de la boîte parsemée de marguerites et je les ai jetés aux ordures, avec mon chevalet. J'ai aussi jeté les toiles qui étaient accrochées un peu partout dans la maison, sauf une.

Papa s'y est farouchement opposé :

— Pas celle-là, Marguerite, je t'en prie !

Il avait l'air tellement désemparé que j'ai promis de ne pas y toucher même si j'éprouvais un douloureux ressentiment chaque fois que mon regard se posait sur l'arc-en-ciel lumineux surplombant la fontaine du parc.

Durant les semaines qui ont suivi, de grands trous noirs ont percé ma mémoire. Je perdais mes repères. Je ne voulais plus aller à l'école. Cette immense polyvalente, grouillante comme une fourmilière, me donnait envie de vomir. J'étais terrorisée, malgré la présence bienveillante de madame Charlotte, dont la tâche consistait précisément à faciliter mon intégration dans une classe spéciale de première secondaire.

Chaque matin de la semaine, la maison se transformait en véritable champ de bataille où nous nous affrontions, mon père et moi, dès mon réveil. Quand mes crises de désespoir étaient trop violentes, papa n'avait pas d'autre choix que de capituler. Je passais alors toute la journée, recroquevillée dans mon lit comme un poussin dans sa coquille, à tenter de détruire systématiquement les souvenirs qui me faisaient trop souffrir.

Décembre est arrivé. La neige s'est mise à tomber. Papa a sorti le faux sapin de sa boîte de carton et, comme chaque année, il a entrepris tant bien que mal de le monter.

— Viens m'aider, Marguerite !

— … pas envie.

Le tronc dénudé de l'arbre artificiel percé de nombreux trous fait pitié à regarder. D'habitude, c'est moi qui lui tends les branches dans le bon ordre : les plus grandes ont une marque mauve, il faut les mettre en premier, tout en bas. Les suivantes, ce sont les vertes. Je connais par cœur l'ordre des couleurs, mais papa l'a oublié, encore une fois. Le résultat est désastreux, mais il ne s'en formalise pas du tout.

— C'est pas grave, Marguerite. Quand on l'aura décoré, ça ne paraîtra pas.

Je ne suis pas d'accord. La symétrie de l'arbre est une priorité absolue à mes yeux avant de passer aux étapes suivantes. Je me lève à contrecœur et je décide d'y remédier en enlevant les branches fautives pour les replacer au bon endroit.

— Mauve... vert... bleu... rouge... orange... jaune !

— C'est plus joli comme ça, admet papa. On teste les lumières ?

Cette seconde étape est toujours délicate. Tous les ans, il y a des guirlandes lumineuses qui ne fonctionnent pas. Cet inévitable constat met la patience de papa à rude épreuve. Tandis qu'il les branche l'une à l'autre, je me prépare à l'entendre à nouveau maugréer quand viendra le moment de chercher frénétiquement les ampoules défectueuses qui empêchent l'électricité de passer. Il retient son souffle en insérant la fiche d'alimentation dans la prise de courant.

— YÉÉÉ !

Les petites ampoules multicolores se sont allumées toutes en même temps. Elles illuminent le tapis du salon. Leur luminosité m'enveloppe d'une douce chaleur. C'est magique. Mon corps tout entier est inondé de couleurs, et l'étau qui me broie le cœur depuis des mois relâche imperceptiblement son étreinte.

— Sur le long chemin, tout blanc de neige blanche, chantonne papa d'un air victorieux, en accrochant les longs serpents lumineux aux branches de notre arbre de Noël.

Finalement, je n'ai pas pu résister à l'envie de décorer le sapin artificiel. Nous l'avons entouré de guirlandes dorées avant d'y suspendre plus d'une centaine de boules.

— Il reste encore des décorations, Marguerite, annonce papa.

— Non !

La petite boîte que j'ai délibérément ignorée contient exactement sept ornements. C'est Rose qui me les a offerts. J'ai reçu le premier à l'âge de cinq ans.

— Il s'appelle Grincheux, avait malicieusement soufflé Rose à mon oreille, en déposant un nain dans le creux de ma main.

Le Noël suivant, elle avait déclaré :

— Celui-là, c'est Prof. Il va te donner un coup de main pour apprendre à lire !

Par la suite, Dormeur, Simplet, Atchoum, Timide et Joyeux s'étaient ajoutés un à un pour chasser mes cauchemars, m'offrir de l'affection, soigner mes rhumes, vaincre ma timidité et me donner envie de chanter.

Rose avait promis de compléter ma collection avec la figurine de Blanche-Neige.

— L'an prochain, ce sera mon cadeau de Noël. En prime, je te lirai la plus belle version du conte, celle des frères Grimm.

Elle n'aurait pas dû promettre.

Je n'aurais pas dû y croire.

Je repousse de la main la boîte des sept nains.

Papa soupire, mais il n'insiste pas.

Chapitre dix-neuf

J'étais en train de décorer des biscuits de Noël lorsque le carillon de la porte d'entrée a retenti.

— J'y vais ! a crié papa.

J'ai continué de dessiner avec application une douzaine de sourires à autant de bonhommes de neige sans me préoccuper des murmures qui me parvenaient du salon. Un long silence a suivi, me laissant croire que le visiteur était parti. Puis, des pas ont résonné dans le couloir et j'ai réalisé que papa n'était pas seul.

— Bonjour, Marguerite !

Quand j'ai entendu sa voix, mon cœur a tressauté si fort qu'il a failli cesser de battre. Rose !

En moins de deux, je me suis retournée et j'ai failli dégringoler en bas du tabouret sur lequel j'étais perchée.

Sa taille, ses cheveux, ses yeux n'avaient pas changé, mais son visage avait prématurément vieilli. L'émoi et la consternation se disputaient en moi tandis que je la dévisageais avec stupéfaction.

Réalisant combien j'étais bouleversée, papa s'est empressé d'intervenir :

— C'est la maman de Rose. Elle est venue nous rendre visite.

Je ne pouvais détacher mes yeux de la version plus âgée de Rose qui se tenait devant moi. C'était très troublant. Elle m'a tendu la main en disant :

— Tu peux m'appeler Juliette.

Papa a proposé que nous allions tous les trois nous asseoir au salon. Mais dès que nous nous sommes installés, il s'est vite éclipsé pour aller faire du thé.

— Rose t'aimait énormément, Marguerite. Elle m'a beaucoup parlé de toi. Aujourd'hui, je suis venue te parler d'elle.

Je ferme les yeux, préférant continuer d'imaginer que Rose est enfin de retour, tandis que sa mère poursuit :

— Il y a un peu plus de trois mois, Rose a eu un grave accident en rentrant à la maison. Elle était au volant de sa voiture, quand une autre automobile est entrée en collision avec la sienne. Elle a été transportée à l'hôpital. Pendant des jours, les médecins ont tenté de lui sauver la vie, mais ses blessures étaient beaucoup trop sévères. Rose ne reviendra pas, Marguerite. Rose nous a quittés…

La voix de Juliette n'est plus qu'un souffle lorsqu'elle parvient péniblement à articuler :

— Rose est morte.

Je suis abasourdie, révoltée, anéantie. Comment cette horreur peut-elle être possible ? C'est trop injuste, trop cruel. Pendant tout ce temps, j'ai cru que Rose m'avait abandonnée et je lui en ai voulu au point de renier notre amitié. Pourquoi m'avoir caché la vérité?

— Nous avions trop de chagrin, Marguerite, m'explique Juliette comme si elle venait tout juste de lire dans mes pensées. C'est pour cela que nous avons attendu si longtemps avant de te révéler ce qui est arrivé. Encore aujourd'hui, c'est difficile pour moi de trouver le courage et la force d'en parler. J'aurais préféré attendre encore un peu, mais ton papa m'a raconté que tu avais cessé de peindre. Il a dit aussi que tu ne voulais plus aller à l'école. Je crois que Rose serait très malheureuse d'apprendre d'aussi mauvaises nouvelles. Qu'en penses-tu?

— …

— Il nous faudra du temps, beaucoup de temps, pour accepter l'absence de Rose, déclare Juliette. Mais par amour pour elle, il faut continuer à vivre et à faire en sorte qu'elle soit fière de nous. C'est la seule façon de la garder vivante dans notre cœur.

Je veux bien faire en sorte que Rose soit fière de moi. Je ferai tout ce qu'il faut pour la garder vivante dans mon cœur, mais accepter son absence, je n'y arriverai jamais. Ça, j'en suis persuadée.

— Souviens-toi combien Rose adorait la nature et les animaux, poursuit Juliette. Elle trouvera le moyen de communiquer avec toi à travers eux. Tu verras…

La mère de Rose se lève. Elle va chercher un sac qu'elle avait déposé dans le vestibule et en sort un grand cadre.

— J'ai conservé quelques affaires de ma fille, explique-t-elle, dont trois vitrines d'insectes qu'elle devait remettre comme travail de fin de semestre. J'ai pensé que tu aimerais avoir celle-ci.

Une dizaine de papillons sont épinglés derrière une vitre, dont le monarque que Rose a capturé l'été dernier, dans le champ de marguerites, et un superbe papillon lune. Je me souviens que Rose désespérait d'en trouver un.

— Dans notre région, avait-elle affirmé, c'est extrêmement rare de trouver ce papillon nocturne. Mes chances sont pratiquement nulles.

Elle avait finalement demandé à Jade, dont les parents habitent plus au sud, d'essayer d'en capturer un pour elle. De toute évidence, Jade avait réussi.

Je reconnais également un sphinx colibri, un amiral et un papillon tigré. Ils sont tous figés dans la mort et maintenant, Rose les a rejoints.

— Il y a autre chose, ajoute Juliette en plongeant la main au fond du grand sac. C'est un cadeau qu'elle voulait t'offrir pour Noël. Il était rangé dans un de ses tiroirs.

Elle me tend une petite boîte rectangulaire.

Je n'ai pas envie de l'ouvrir.

Plus tard, peut-être, mais pas maintenant.

J'ai trop mal.

Je me lève brusquement et je cours m'enfermer dans ma chambre avant qu'une nouvelle tempête ne se déchaîne dans ma tête.

Mon père a emballé le présent de Rose dans un joli papier-cadeau et l'a déposé au pied du sapin. Nous savions tous les deux ce que la petite boîte rectangulaire contenait. Aussi n'avons-nous pas été surpris d'y découvrir, le matin de Noël, une adorable figurine de Blanche-Neige.

Rose avait transcrit le conte des frères Grimm à l'encre de Chine, sur des feuilles de papier artisanal incrustées de pétales de fleurs qu'elle avait enroulées et attachées avec un mince ruban. Elle avait pris soin de passer plusieurs fois sa plume sur les « o » pour les faire ressortir davantage. Ça m'a fait sourire.

Après avoir déballé tous nos cadeaux, papa a dit, comme il le fait chaque année :

— J'espère que le père Noël nous a laissé de quoi manger. Qu'en penses-tu, ma pt'ite fleur ?

— Des crêpes !

J'ai découvert à l'âge de sept ans que mon père se levait aux aurores pour préparer notre traditionnel déjeuner de Noël. Mais je me gardais bien de lui révéler que l'odeur appétissante des crêpes et du chocolat chaud le trahissait depuis plusieurs années.

J'ai déposé les feuilles de papier fleuri devant mon assiette et, pendant tout le temps où nous avons déjeuné, j'ai contemplé les pétales de roses qu'il renfermait.

— Tu veux que je te lise le conte ?

— Comme Rose ?

— Ce ne sera pas aussi bien que Rose, mais je vais tâcher d'être à la hauteur.

Assise devant le sapin illuminé, je me laisse bercer par la voix de papa aux effluves de chocolat.

— Cela se passait en plein hiver et les flocons de neige tombaient du ciel comme un duvet léger. Une reine était assise à sa fenêtre encadrée de bois d'ébène et cousait. Tout en tirant l'aiguille, elle regardait voler les blancs flocons. Elle se piqua au doigt et trois gouttes de sang tombèrent sur la neige. Ce rouge sur ce blanc faisait si bel effet qu'elle se dit : « Si seulement j'avais un enfant aussi blanc que la neige, aussi rose que le sang, aussi noir que le bois de ma fenêtre ! » Peu de temps après, une fille lui naquit ; elle était blanche comme neige, rose comme sang et ses cheveux étaient noirs comme de l'ébène. On l'appela Blanche-Neige…

Les longs cheveux noirs de Rose me reviennent en mémoire. Sa silhouette se superpose à celle de Blanche-Neige courant dans la forêt avec les bêtes sauvages qui la frôlent sans jamais lui faire de mal.

— […] Quand la nuit fut complètement tombée, les propriétaires de la maisonnette arrivèrent. C'était sept nains qui, dans la montagne, travaillaient à la mine. Ils allumèrent leurs sept petites lampes et, quand la lumière illumina la pièce, ils virent que quelqu'un y était venu, car tout n'était plus tel qu'ils l'avaient laissé.

J'imagine Rose s'amusant à changer sa voix pour imiter celles des sept nains :

— Qui s'est assis sur ma petite chaise? demanda le premier.

— Qui a mangé dans ma petite assiette? fit le second.

— Qui a pris un morceau de mon petit pain? dit le troisième.

— Qui m'a pris un peu de ma petite potée? s'étonna le quatrième.

— Qui a sali ma petite fourchette? questionna le cinquième.

— Qui a coupé avec mon petit couteau? interrogea le sixième.

— Qui a bu dans mon petit gobelet? s'inquiéta le septième enfin.

Après avoir échappé par trois fois à la mort, l'infortunée Blanche-Neige finit par succomber en mordant dans une pomme empoisonnée par sa belle-mère.

— [...] Quand, au soir, les nains arrivèrent chez eux, ils trouvèrent Blanche-Neige étendue sur le sol, sans souffle. Ils la soulevèrent, cherchèrent s'il y avait quelque chose d'empoisonné, défirent son corselet, coiffèrent ses cheveux, la lavèrent avec de l'eau et du vin. Mais rien n'y fit : la chère enfant était morte et morte elle restait.

Arrivé à ce passage, papa s'arrête. Je sens qu'il est très ému. Moi aussi. Impossible de ne pas penser à Rose luttant pour sa vie jusqu'à son dernier souffle.

— Tu veux que je continue ? me demande-t-il.

— Oui.

Je ressens fortement la présence de Rose. Je sais qu'elle est avec nous, penchée au-dessus de mon épaule, et qu'elle m'incite à écouter la suite :

— [...] l'un d'eux buta sur une souche. La secousse fit glisser hors de la gorge de Blanche-Neige le morceau de pomme empoisonnée qu'elle avait mangé. Bientôt après, elle ouvrit les yeux, souleva le couvercle du cercueil et se leva. Elle était de nouveau vivante !

Rose m'a déjà expliqué que, dans la plupart des contes traditionnels, les bons sont récompensés et les méchants, sévèrement punis. Celui-ci n'échappe pas à la règle : le prince qui a sauvé la vie de Blanche-Neige la demande en mariage tandis que la méchante reine qui a comploté pour la tuer se voit obligée de chausser des pantoufles de fer qu'on a fait rougir sur des charbons ardents.

— [...] On les prit avec des tenailles, on les plaça devant elle et elle dut y mettre ses pieds. Et elle dansa jusqu'à ce qu'elle tombât morte sur le sol.

CHAPITRE DIX-NEUF

Le destin de Blanche-Neige a une fin heureuse.

Pas celle de Rose.

Personne n'a réussi à la sauver.

Personne n'a été puni pour lui avoir enlevé la vie.

Je contemple longuement la figurine qui repose dans mes mains avant de me décider à la suspendre dans le sapin. Les sept nains sont tous là, accrochés à leur branche habituelle. Il me semble qu'ils sourient davantage depuis qu'elle les a rejoints. Surtout Simplet. Il était amoureux de Blanche-Neige. C'est Rose qui me l'a dit.

Chapitre vingt

J'avais treize ans, et je n'étais pas encore préparée à l'apparition de mes premières règles. Mon père n'avait pas abordé la question avec moi. Peut-être redoutait-il le moment fatidique où la puberté lui ravirait définitivement sa petite fille.

Une nuit, je me souviens avoir fait un épouvantable cauchemar. J'étais couverte de sang et je courais dans la rue en hurlant le nom de Rose, poursuivie par Doris, le chien de la ruelle.

Au matin, c'est la douleur qui m'a réveillée. Une brûlure dans le bas-ventre suivie de crampes de plus en plus fortes. Je me suis levée et j'ai senti un filet de liquide chaud couler le long de ma jambe droite. J'ai tout de suite couru à la salle de bain :

— PAPAAAAA!

Mon hurlement a fait bondir mon père hors de son lit. Quand il m'a rejointe, je cherchais fébrilement des pansements dans l'armoire où nous rangeons tous les médicaments. Il a tout de suite compris en voyant le sang qui marbrait mes cuisses.

— N'aie pas peur, Marguerite. Tu n'es pas blessée. Ce qui t'arrive est tout à fait normal. Assieds-toi ici et attends-moi. Je reviens tout de suite.

Tandis qu'il se ruait vers le téléphone, il a cru bon d'ajouter :

— Rappelle-toi la chenille qui s'est transformée en papillon !

Loin de me rassurer, cette étrange comparaison m'a remplie d'épouvante.

Papi Léo et mamie Jeanne étaient en voyage dans le Sud. Mon père a décidé de téléphoner à la mère de Rose. Depuis les vacances de Noël, il l'avait invitée à quelques reprises à la maison ; d'abord pour prendre le thé, puis, pour souper. Ils avaient l'air de s'apprécier mutuellement.

Tandis que j'attendais anxieusement, assise sur le siège des toilettes, papa s'est empressé d'expliquer à Juliette :

— Je ne peux pas laisser Marguerite toute seule… Oui, c'est ça… Ce serait gentil de venir et… euh… pendant que j'irai chercher ce qu'il faut, de… enfin… de la rassurer.

Au cours des derniers mois, j'avais remarqué d'étonnantes transformations sur mon corps. Mes seins avaient commencé à grossir et des poils étaient apparus sur mon pubis et sous mes bras. Ces changements m'avaient un peu inquiétée, mais je n'avais pas osé en parler à papa.

C'est Juliette qui a réussi à me réconforter. Elle a sans doute repris les mots qu'elle avait déjà utilisés avec Rose pour décrire les transformations qui étaient en train de s'effectuer à l'intérieur de mon corps. Elle avait apporté une serviette hygiénique et elle m'a expliqué comment rester propre en la plaçant à l'intérieur de mon slip pour absorber le sang.

Quand papa est revenu de la pharmacie, j'étais couchée entre de nouveaux draps, une bouillotte réconfortante posée sur le ventre. Il a souri à Juliette et s'est assis sur le bord de mon lit.

— Est-ce que je vais pouvoir encore t'appeler ma p'tite fleur, maintenant que tu n'es plus une petite fille? a-t-il demandé.

Il ignorait que j'avais cessé d'être une petite fille, le jour où j'avais appris la mort de Rose.

J'ai revu Juliette à quelques reprises au cours de l'année qui a suivi. J'appréciais ses visites, même si elles étaient toujours plutôt brèves.

Juliette parlait très peu d'elle, mais elle avait toujours des anecdotes amusantes à raconter à propos de Rose. Il m'arrivait souvent de me demander si ma mère aurait eu la même tendresse dans la voix pour parler de moi.

Un jour où papa la remerciait d'être venue me tenir compagnie, Juliette a rétorqué :

— C'est Marguerite qu'il faut remercier, Mathieu. Votre fille m'a sauvé la vie.

Au printemps suivant, Juliette nous a annoncé qu'elle déménagerait à l'automne. Elle avait accepté un emploi à l'autre bout du pays.

— J'attends la fin des procédures judiciaires, a-t-elle précisé.

Puis, d'une voix presque enfantine qui m'a rappelé Rose, quand elle tentait de m'enjôler pour que je lui obéisse, Juliette a demandé :

— Vous viendrez me voir durant les vacances ? On m'a dit qu'il y avait de magnifiques ranchs dans la région. Ce serait une belle occasion pour Marguerite de renouer avec les chevaux…

Papa m'a jeté un coup d'œil. Je n'ai pas réagi, mais à l'intérieur de moi j'ai dit oui parce que je savais que cela aurait fait plaisir à Rose.

Quelques semaines plus tard, papa avait un important rendez-vous d'affaires au centre-ville. Il a téléphoné à sa mère.

— Marguerite n'a pas d'école aujourd'hui. C'est une journée pédagogique et je dois absolument présenter une soumission à un client...

Bien entendu, mamie Jeanne était ravie de m'accueillir chez elle. Papa m'a donc déposée chez ses parents après le dîner et il a promis d'être de retour à la fin de l'après-midi.

Ma grand-mère avait une petite idée derrière la tête. Elle voulait m'initier à la pâtisserie.

— Tu vas bientôt avoir quinze ans, ma chouette. Il est grand temps que tu saches au moins faire un gâteau au chocolat. C'était le dessert préféré de ton papa, quand il avait ton âge. Tu vas voir, c'est une recette toute simple...

Mamie Jeanne a ouvert son vieux livre de recettes et elle a énuméré tous les ingrédients afin de les rassembler. Puis, elle a entrepris de m'apprendre à casser un œuf.

— Tu frappes doucement la coquille sur le comptoir pour qu'elle se fêle et tu places tes deux pouces dans le creux...

— Oups!

Ce n'est pas par mauvaise volonté que j'ai laissé tomber l'œuf sur le plancher. Mais après que j'aie écrabouillé les coquilles de deux autres œufs, aspergé le comptoir de farine et laissé échapper la tasse à mesurer pleine de lait dans le bol du mélangeur électrique, mamie Jeanne a dû se rendre à l'évidence : il était de loin préférable que sa petite-fille participe au processus en tant que spectatrice. Elle a fait contre mauvaise fortune bon cœur.

— Quand le gâteau sera cuit, je t'apprendrai ma recette de glaçage au beurre.

— En attendant, est intervenu papi Léo, si on faisait une partie de dames ?

Mon grand-père m'a entraînée au salon où nous nous sommes installés face à face. J'ai placé consciencieusement mes pions sur le jeu.

D'aussi loin que je me souvienne, le grand damier carré en bois laqué a toujours trôné sur un guéridon, dans le salon de mes grands-parents. Toute petite, j'étais fascinée par la parfaite symétrie de ce plateau divisé en cent cases égales, alternativement claires et foncées. Je ne me lassais pas de les compter. J'avais même inventé plusieurs variantes pour les dénombrer en suivant les dix rangées horizontales, les dix colonnes verticales ou les diagonales.

Le jeu comprenait un coffret renfermant vingt disques blancs et vingt disques noirs que j'empilais avec méthode les uns par-dessus les autres pour former des tours identiques ou de tailles plus ou moins hautes. En alternant le noir et le blanc, les possibilités de combinaisons étaient infinies.

Un jour, papi Léo a décidé de m'apprendre à jouer. Je l'ai observé disposer les vingt disques blancs sur les cases foncées des quatre premières rangées du jeu. Ensuite, il a poussé les disques noirs dans ma direction.

— À toi, Marguerite.

J'ai placé mes disques en suivant son exemple. Papi Léo s'est frotté les mains de satisfaction.

— Parfait !

Il a poursuivi :

— Les joueurs jouent à tour de rôle, mais ce sont toujours les blancs qui commencent. Il faut déplacer le pion en diagonale sur une case libre de la rangée suivante. Regarde...

Il a posé le bout de son index droit sur le pion blanc qui était en plein centre de la première rangée et l'a lentement glissé vers la case foncée de la rangée suivante.

— À toi.

J'ai posé le bout de mon index gauche sur le pion noir situé en plein centre de la première rangée, et je l'ai lentement glissé vers la case foncée de la rangée suivante.

— HÉ ! HÉ ! a fait mon grand-père, en faisant passer son pion blanc au-dessus du mien pour le poser sur la case libre qui se trouvait derrière.

Cette manœuvre inattendue m'ayant fait sursauter, papi Léo s'est empressé de m'expliquer :

— Le but du jeu est d'enlever tous les pions de ton adversaire. Dès qu'un de tes pions se trouve en diagonale d'un des miens, et qu'il y a une case libre derrière, tu dois sauter par-dessus. Tu as compris?

J'ai observé le damier pendant un court moment, puis j'ai fait :

— HÉ! HÉ!

— P'tite démone! s'est exclamé papi Léo en constatant que je venais de faire sauter mon pion par-dessus le sien.

J'ai très vite saisi que, pour gagner au jeu de dames, il fallait anticiper les coups de son adversaire. J'ai appris toutes les règles et maintenant, je suis devenue très forte. Je vois clair dans les stratégies de mon grand-père et je parviens presque toujours à le déjouer.

— Batêche! jure papi Léo en faisant semblant d'être fâché.

C'est après la partie de dames que j'ai trouvé le signet. Il était caché à l'intérieur d'un livre.

— Fais-moi penser à rendre ce bouquin à ton papa, a dit papi Léo en sortant l'ouvrage de sa bibliothèque. Ça fait plus de cinq ans qu'il me l'a prêté et j'oublie toujours de le lui remettre.

De la cuisine, mamie Jeanne a appelé :

— Léo, peux-tu venir voir l'évier s'il te plaît? Il est bloqué.

— Encore ? Je l'ai débloqué pas plus tard qu'hier…
Papi Léo s'est levé en pestant contre la plomberie.
— Batêche de batêche ! Ces maudits tuyaux doivent dater
de la guerre de 14-18 ! Il faudrait bien que je me décide à les
remplacer.

Tandis que mon grand-père se dirigeait vers la cuisine en
maugréant, mon regard s'est posé sur le bouquin qu'il avait
laissé sur le sofa. Sa couverture m'intriguait. Elle montrait
un homme au crâne rasé arborant de grosses lunettes aux
montures métalliques. Il portait un vêtement d'un jaune
orangé, drapé autour du corps, une partie passant sous un
bras et l'autre reposant sur son épaule. J'ai lu le titre à voix
basse :
— *L'art du bonheur : sagesse et sérénité au quotidien.*

D'un geste instinctif, j'ai ouvert le livre et j'ai commencé
à le feuilleter. Quelqu'un, sans doute mon père, avait grif-
fonné des notes en toutes petites lettres dans les marges de
presque toutes les pages. C'est en tournant celles-ci que je
suis tombée sur le signet. Sur l'étroite bande de carton, on
pouvait voir le visage d'une dame assez jeune et très jolie.
Elle avait, comme moi, de longs cheveux châtains clairs. Un
court texte était écrit juste en dessous. J'allais le lire, quand
papi Léo est revenu au salon :
— Que dirais-tu d'un…
Il s'est arrêté tout net en fixant le signet d'un air effaré.
— Où as-tu trouvé ça, Marguerite ?

Il y avait de la colère dans sa voix. De la crainte aussi. Je me suis empressée de remettre le signet à sa place, avant de lui tendre le livre :

— *L'art… du… bonheur…* Papi…

Il a saisi le bouquin, fermé les yeux et respiré profondément. Puis, d'un ton qu'il s'efforçait de rendre le plus neutre possible, il m'a proposé :

— En attendant le retour de ton père, que dirais-tu de venir faire une promenade avec moi ? En passant, on pourrait s'arrêter à la librairie…

Chapitre vingt-et-un

Au retour de papa, je faisais semblant de lire la nouvelle bande dessinée que papi Léo venait de m'offrir, mon grand-père parcourait son journal d'un air renfrogné et ma grand-mère nappait nerveusement son gâteau au chocolat d'un onctueux glaçage au beurre.

— Salut, ma p'tite fleur, a dit papa en entrant dans la cuisine silencieuse. Mais qu'est-ce que je vois juste là? Mon dessert préféré!

Le sourire figé de mamie Jeanne contredisait nettement le regard attristé qu'elle a lancé à mon père. Papi Léo l'a immédiatement entraîné avec lui.

— Il faut que je te parle, Mathieu.

Je me suis levée pour les accompagner, mais mamie Jeanne s'est interposée en disant :

— Reste avec moi, ma belle Marguerite. J'ai besoin de ton aide pour faire la vaisselle.

J'ai obéi à contrecœur. Tandis que j'essuyais les moules à gâteau et les ustensiles, des voix étouffées nous parvenaient indistinctement du salon. À un moment donné, le ton a monté et j'ai clairement entendu :

— Elle a quatorze ans, Mathieu. Il est temps de lui dire la vérité.

— Elle ne comprendra pas, papa.

— Elle est capable de comprendre beaucoup plus de choses que tu ne le crois.

— La mort de Rose l'a beaucoup affectée. Je n'ai pas envie de revenir encore sur le passé.

— Le passé finit toujours par nous rattraper, mon fils.

Finalement, nous n'avons pas mangé de gâteau au chocolat. Après sa conversation avec papi Léo, papa a insisté pour que nous rentrions immédiatement à la maison. Dès notre arrivée, il s'est lancé avec frénésie dans la préparation du souper.

Je suis descendu dans *le bureau de mademoiselle Marguerite*. J'ai allumé la télévision et j'ai fixé l'écran, sans vraiment porter attention à l'émission qui était diffusée. J'entendais mon père brasser les casseroles, claquer les portes d'armoire et fermer brusquement les tiroirs. La tension qui régnait dans la cuisine était palpable jusqu'en bas.

— C'est prêt! a fini par annoncer papa. Ferme la télé et viens t'asseoir, Marguerite.

J'ai fixé sans appétit mon assiette de spaghettis. Certains d'entre eux s'étaient agglutinés en rouleaux compacts pendant la cuisson. J'ai entrepris de les séparer méthodiquement, avec ma fourchette et la pointe de mon couteau, avant de commencer à manger les pâtes à moitié cuites.

— C'est pas bon !

Voyant que mon père ne réagissait pas, j'ai répété, le regard rivé sur mon assiette :

— C'est pas bon ! ... C'est pas bon ! ... C'est pas bon !

Il s'est levé brusquement et j'ai remarqué *L'art du bonheur* qui dépassait un peu de la poche de sa veste. Ça m'a rappelé le signet entre les pages.

— J'ai un courriel à envoyer, a-t-il prétexté. Sois gentille, ma p'tite fleur, finis de manger. Je reviens dans quelques minutes.

Je l'ai suivi des yeux tandis qu'il sortait de la cuisine. Je n'avais plus faim, alors j'ai repoussé mon assiette et j'ai attendu qu'il revienne. Comme il ne revenait pas, je suis allée m'asseoir sur la première marche de l'escalier et j'ai tendu l'oreille. Un bruit indistinct montait du sous-sol.

J'ai fini par comprendre que papa pleurait, mais je n'ai pas osé descendre. Pour ne pas céder à la panique, je me suis bercée pendant un long moment tandis qu'en bas, tout seul dans son bureau, mon père n'arrivait pas à étouffer ses sanglots.

Après, sa voix était très rauque quand il a téléphoné à papi Léo :

— Je vais parler à Marguerite, papa. C'est promis. Je vais lui parler dès ce soir.

C'est tout ce qu'il a dit, avant de raccrocher.

Quand mon père est entré dans ma chambre, je dessinais un papillon. Depuis cet été, j'en ai fait des dizaines. Ils sont tous identiques à celui que nous avons vu, au mois d'août dernier, en revenant du parc.

Il était agrippé à l'écorce du grand peuplier dont j'aimais, autrefois, écouter le souffle puissant. Je n'avais pas enlacé le tronc de l'arbre depuis longtemps, car j'étais persuadée que son cœur avait cessé de battre en même temps que celui de Rose.

J'étais occupée à compter mes pas, depuis la dernière intersection, quand papa a soudainement pointé le peuplier en s'écriant :

— Regarde, Marguerite !

Je l'ai reconnu immédiatement :

— *Actias luna* !

C'est le nom scientifique du papillon lune. Il est écrit sous le spécimen épinglé dans la vitrine que Juliette m'a offerte, en souvenir de Rose.

Je me suis approchée tout doucement, pour ne pas l'effrayer, et j'ai posé ma main sur l'écorce de l'arbre, juste au-dessus de ses grosses antennes plumeuses. Le papillon a levé une patte hésitante, puis une autre, avant de se décider à monter sur mes doigts.

Papa était aussi étonné que moi.

— C'est la première fois que je vois un papillon comme celui-là par ici, a-t-il murmuré d'une voix admirative. C'est exceptionnel.

Les paroles de Juliette me sont revenues en mémoire. «Souviens-toi, avait-elle dit, combien Rose adorait la nature et les animaux. Elle trouvera le moyen de communiquer avec toi à travers eux.»

Je ne voulais pas abandonner le papillon sur l'écorce du peuplier. Mon père a accepté que je l'apporte à la maison, à condition qu'il demeure libre de s'envoler à sa guise. En rentrant, je l'ai déposé sur le bord extérieur de la fenêtre de ma chambre. Il y est resté jusqu'au soir.

Il était toujours là, quand est venue l'heure d'aller au lit. J'ai remarqué combien la lune était lumineuse ce soir-là. Toute ronde aussi, comme si elle était sur le point d'accoucher. Ça m'a plu d'imaginer des millions de papillons nocturnes s'échappant de son gros ventre.

À mon réveil, mon papillon avait disparu.

Depuis, je ne me lasse pas de le dessiner parce qu'à chaque fois, je sens la présence apaisante de Rose à l'intérieur de moi.

Papa a patiemment attendu que j'aie terminé mon dessin avant de prendre la parole.

— J'ai quelque chose à te révéler, Marguerite.

Je lève la tête sans surprise et j'attends qu'il poursuive :

— En fait, c'est une longue histoire que j'aurais dû te raconter depuis longtemps. Viens t'asseoir près de moi.

Je m'assois à côté de lui, sur le bord de mon lit, et je ferme les yeux pour mieux entendre ce qu'il a à me dire.

— J'ai connu ta maman quand j'étudiais au cégep. Elle était inscrite en arts visuels, comme moi, et rêvait de devenir artiste. Tandis que je terminais mon cours en design industriel, elle a poursuivi ses études à l'université. Nous étions très amoureux l'un de l'autre. C'est pourquoi nous n'avons pas attendu très longtemps avant de décider de vivre ensemble.

Papa s'arrête, le temps de sortir de la poche de sa veste un petit bouquet de fleurs séchées : celui de la boîte à souvenirs. J'ignorais qu'il l'avait conservé.

— J'ai cueilli ces fleurs neuf mois avant ta venue au monde. C'était le 24 juin. Presque tous les gens du village où nous habitions étaient rassemblés pour assister au feu d'artifice de la Saint-Jean. Une scène ornée de drapeaux fleurdelisés avait été érigée au centre de la place. À tour de rôle, chanteurs et musiciens y montaient pour interpréter des airs susceptibles de faire vibrer la fibre patriotique de la foule. «Installons-nous un peu plus loin», a suggéré Sophie. Nous avons étendu notre sac de couchage dans l'herbe haute du champ qui longeait le terrain de balle molle. Amoureusement serrés l'un contre l'autre, nous avons admiré le ciel s'enflammer tandis que le soleil disparaissait lentement à l'horizon. Quelques minutes plus tard, les premiers feux ont éclaté en gerbes multicolores au-dessus de nos têtes. Les yeux rivés au ciel, nous nous extasions comme des enfants, bouche bée devant cette féérie de couleurs. Dans le vacarme assourdissant qui accompagnait chaque nouvelle explosion, nous échangions des baisers de plus en plus passionnés. Quand le dernier feu s'est éteint, Sophie a chuchoté à mon oreille : «C'est la nuit idéale pour faire un bébé!» Nous avons attendu que la foule se disperse et que le calme enveloppe à nouveau le champ de marguerites pour nous aimer tendrement, sous les étoiles. Après, nous sommes restés un long moment enlacés à contempler la Voie lactée. Soudain, Sophie s'est écriée : «Une étoile filante!» Elle a fait un vœu et moi aussi, même si je n'avais pas eu le temps d'apercevoir son passage éphémère dans le ciel. À l'aube, nous sommes rentrés à la maison en marchant pieds nus dans l'herbe mouillée de rosée. Au passage, j'ai cueilli quelques marguerites pour en faire un bouquet que j'ai offert à Sophie. C'est comme ça que ta maman a choisi ton prénom. Elle était persuadée que nous venions de concevoir une petite fille.

Sachant combien il m'est habituellement difficile de demeurer concentrée pendant plusieurs minutes d'affilée, papa marque une pause. J'aperçois *L'art du bonheur* posé à côté de lui. Voyant que j'attends avidement la suite de son récit, il ouvre le livre et en sort le signet que j'ai découvert chez papi Léo.

Sa main tremble autant que sa voix quand il me le tend en disant :

— Tu ressembles beaucoup à ta maman. Si elle était encore avec nous, elle serait très fière de toi.

Je regarde attentivement la photo avant de lire lentement le texte écrit juste en dessous :

Tant et aussi longtemps
Que ton cœur se souvient
Les êtres que tu aimes
Y demeurent et y vivent.

Sophie Langevin
1975-2005

Mon cœur tressaute. Je crois que je commence à comprendre. Papa esquisse le geste de passer son bras autour de mon épaule, mais il se retient juste à temps. Je ne supporterais pas de contact physique en ce moment crucial où il m'annonce :

— Ta maman est morte, Marguerite. Elle était très malade, dans son corps et dans sa tête. Les médecins ont tenté de la soigner, mais ils n'ont pas réussi. Elle s'est enlevé la vie quelques semaines après avoir quitté la maison, il y a dix ans. Je n'ai pas voulu que tu le saches. Je croyais que ce serait plus facile pour toi d'ignorer la vérité. J'avais tort.

— Malade… comme… moi ?

— Non, ma p'tite fleur. Pas comme toi. La maladie de ta maman a été causée par le dérèglement de la glande thyroïde, un organe qui se trouve à la base du cou. Après ta naissance, Sophie a commencé à ressentir de gros maux de tête. Elle avait mal au cœur et elle était tout le temps fatiguée. Nous croyions que tout rentrerait dans l'ordre, mais ça n'a pas été le cas. Au fil des années, elle est devenue de plus en plus irritable, distraite, impatiente. Le médecin que nous avons consulté, quatre ans plus tard, a dit que ta maman souffrait d'une dépression majeure. Sophie se sentait coupable de ne pas être en mesure de bien s'occuper de toi. Elle t'aimait de tout son cœur, mais elle craignait de te faire du mal. Elle a donc décidé de quitter la maison pour se faire soigner dans une clinique. C'était très courageux de sa part. On lui a prescrit de nombreux médicaments qui n'ont pas réussi à la guérir. Papi Georges et mamie Laure ont cru que je n'avais pas fait ce qu'il fallait pour sauver ta maman et m'en ont beaucoup voulu. C'est pour ça que tu ne les as jamais revus. Ils avaient trop de peine.

— Et... toi?

— Sans toi, Marguerite, je n'aurais jamais pu surmonter mon chagrin.

Papi Léo a raison. Je suis capable de comprendre beaucoup plus de choses que les autres ne le croient. C'est juste que mon corps refuse d'exprimer ce que je ressens par en dedans. J'arrive malgré tout à balbutier :

— C'est... une... histoire... très... cruelle.

Je suis à la fois bouleversée par le choix que maman a fait de s'enlever la vie pour échapper à ses souffrances et soulagée de savoir qu'elle ne m'a pas abandonnée par manque d'amour.

Sur le signet que je tiens au creux de mes mains, son visage souriant ne laisse rien présager de son terrible destin. Je suppose que la photo a été prise quelque temps avant ma naissance. Avant que cette horrible maladie ne me vole ma mère.

De grosses larmes roulent sur les joues de papa. C'est la première fois en dix ans qu'il pleure devant moi.

Le souvenir de maman en train de ranger ses vêtements dans une valise avant de partir, sans un dernier regard, me rattrape. Il me transperce brutalement le cœur et fait jaillir mes larmes.

Je pleure sans aucune retenue pour la première fois depuis qu'elle est partie.

Chapitre vingt-deux

Papa m'a acheté un nouveau sac à dos. Je l'ai choisi bleu, encore une fois. Mais celui-là n'est pas constellé d'étoiles blanches, comme les trois précédents. Il est plus grand et plus solide aussi. C'est normal : je suis entrée en troisième secondaire. Mes livres sont de plus en plus lourds.

À l'intérieur de mon sac, il y a une pochette secrète. C'est là que j'ai glissé le signet de maman. De cette façon, je ne serai plus jamais séparée d'elle. Je regarde son visage tous les jours. Je veux qu'elle soit fière de moi.

L'éducatrice qui m'accompagne cette année a confirmé à papa que j'avais fait des progrès considérables depuis un an.

— Marguerite arrive davantage à se concentrer, a-t-elle dit. Sa confiance en soi a augmenté, elle accepte davantage les échecs et elle entre de plus en plus facilement en relation avec les autres.

Juliette m'a offert le minisinge de Rose. Je l'ai accroché à la tirette de la fermeture Éclair de mon sac. Il se balance à chacun de mes pas. Ça me rassure de le savoir là. C'est comme si Rose veillait sur moi. Je pense souvent à elle. Je lui demande de me donner du courage. J'en ai grand besoin pour m'accepter telle que je suis.

Je m'appelle Marguerite.
J'aurai bientôt quinze ans.
Je n'ai pas de copines.
Je n'aurai jamais d'amoureux.
Ça m'est égal.
Je déteste les caresses.
J'ai horreur des baisers.

Mon humeur est instable. Elle dépend beaucoup de l'ambiance dans laquelle je me trouve. Il m'arrive d'éclater de rire sans pouvoir m'arrêter. J'ai aussi parfois des crises de panique parce que je me sens impuissante à contrôler mon corps et à exprimer correctement ce que je ressens.

Les odeurs fortes me donnent la chair de poule. Les lumières vives me piquent les yeux. Les voix aiguës et les bruits stridents me percent les tympans.

Certains jours, des ombres aux formes inquiétantes surgissent et s'agglutinent à l'intérieur de moi. Un grondement sourd les accompagne. Il s'amplifie parfois jusqu'à devenir insoutenable. Je réagis à cette menace par des cris et des mouvements frénétiques.

Si je me blesse, je ne montre pas aux autres que j'ai mal. C'est trop compliqué d'expliquer la souffrance. Je préfère agir comme si je ne ressentais aucune douleur.

J'ai beaucoup de difficulté à saisir la notion du temps. Une minute peut me paraître interminable tandis qu'une heure peut s'écouler à la vitesse de l'éclair. J'ai besoin de repères visuels, pour fixer les jours, les semaines, les mois dans ma mémoire.

J'ai un sens aigu de l'observation et je retiens parfaitement l'ordre des choses. Je ne veux pas qu'on le modifie. Tout doit rester à sa place, sinon je risque de m'égarer dans un environnement que je ne reconnais plus.

Les objets qui tournent, pirouettent, tourbillonnent, virevoltent, me fascinent. Leurs mouvements répétitifs me rassurent. Il m'arrive parfois de les imiter en tournant sur moi-même. J'oublie alors qui je suis, où je suis, et je deviens la toupie, la roue, le vire-vent.

Je peux me bercer en me balançant sur moi-même pendant une partie de la journée. Je peux aussi rester très longtemps immobile, comme une statue de pierre. Mais ce calme apparent est fragile, car je suis très vulnérable.

Voilà, c'est comme ça depuis ma naissance. Je n'y peux rien.

Je réagis trop à certains stimuli et pas assez à d'autres. Mon cerveau ne fonctionne pas comme celui des autres, mais je ne suis pas folle, contrairement à ce que certaines personnes peuvent penser.

Je suis tout simplement différente.

Je suis autiste.

Mot de l'auteure

J'ai publié soixante-seize livres jeunesse, avant d'écrire ce premier roman. Je tiens toutefois à préciser que je ne connaissais à peu près rien des troubles envahissants du développement (TED), avant de croiser un petit garçon autiste, il y a quinze ans. Il faisait partie d'une classe de première année que je rencontrais à la bibliothèque. Son enseignante m'avait recommandé de ne pas tenir compte de lui s'il fermait les yeux et commençait à se bercer pendant que je racontais mon histoire. Quand j'ai entrepris ma lecture, tous les enfants me regardaient, sauf le petit garçon, qui se balançait doucement sur ses fesses. Il était à moins d'un mètre de moi, mais il paraissait inaccessible. Soudain, au moment crucial du récit, il s'est penché vers l'avant et il a entouré mes jambes de ses deux bras. Je n'oublierai jamais l'émoi que j'ai ressenti en prenant conscience de l'intensité des émotions de cet enfant.

Cette expérience bouleversante m'a incitée à entreprendre des recherches afin d'en apprendre davantage sur le trouble du spectre de l'autisme (TSA). Les premiers signes apparaissent habituellement autour de l'âge de dix-huit mois et persistent généralement à l'âge adulte. Les symptômes, de légers à sévères, se remarquent dans les relations avec autrui, la communication et le comportement. Ils peuvent varier grandement d'un individu à un autre et changer avec le temps. En fait, il y a autant de formes d'autisme que de personnes autistes.

De nombreuses études ont été menées pour déterminer l'existence d'anomalies qui expliqueraient l'apparition des troubles autistiques. Les travaux portant sur les mécanismes biologiques indiquent qu'une prédisposition génétique, un déséquilibre métabolique, un mauvais fonctionnement du système immunitaire, la contraction d'une infection durant la grossesse sont des facteurs pouvant être associés au TSA.

En étudiant le système nerveux central, des chercheurs ont découvert que des anomalies cérébrales pourraient être déterminantes. Des dommages au cervelet, en début de vie, perturberaient la capacité du cerveau d'interpréter certains stimuli et pourraient être la cause première de l'autisme.

De nombreux facteurs environnementaux ont aussi été identifiés. L'intoxication aux métaux lourds et aux contaminants ainsi que l'exposition aux polluants atmosphériques et aux pesticides durant la grossesse augmenteraient de façon significative les risques d'avoir un enfant autiste.

Au cours des dernières années, des essais cliniques prometteurs ont été entrepris afin de réduire la sévérité des troubles autistiques. De nouvelles méthodes éducatives ont été conçues pour rétablir, maintenir ou améliorer les capacités sociales, mentales et physiques des enfants autistes. Il est désormais possible d'évaluer leur potentiel en utilisant des tests non verbaux qui font appel à leurs forces cognitives.

Les récentes recherches portant sur le cerveau sont en voie de bouleverser la compréhension que l'on a du trouble du spectre de l'autisme. Certains scientifiques évoquent une autre forme d'intelligence et estiment qu'il faut cesser de voir les personnes autistes comme des malades et reconnaître leurs différences.

Pistes d'exploitation du roman disponibles sur le site Internet :
www.dominiqueetcompagnie.com/espace pédagogique

*Mes remerciements s'adressent à mon époux
Michel Noël, pour son appui indéfectible,
à mon amie enseignante Lucie Galerneau,
pour ses précieuses remarques,
et à ma directrice littéraire Agnès Huguet,
pour ses judicieux commentaires.*

Catalogage avant publication de
Bibliothèque et Archives nationales du Québec et
Bibliothèque et Archives Canada

Roberge, Sylvie, 1955 mars 15-

Dans la tête de Marguerite

(Grand roman Dominique et compagnie)
Pour les jeunes.

ISBN 978-2-89739-336-6
ISBN numérique 978-2-89739-337-3

I. Binette, Réal. II. Titre.

PS8585.O277D36 2015   jC843'.54   C2015-941211-0
PS9585.O277D36 2015

Direction littéraire : Agnès Huguet
Révision et correction d'épreuve : Béatrice M. Richet
Conception graphique : Dominique Simard
Droits et permissions : barbara.creary@dominiqueetcompagnie.com
Service aux collectivités : espacepedagogique@dominiqueetcompagnie.com
Service aux lecteurs : serviceclient@editionsheritage.com

Dépôt légal : 3ᵉ trimestre 2015
Bibliothèque et Archives nationales du Québec
Bibliothèque et Archives Canada

Dominique et compagnie
1101, avenue Victoria
Saint-Lambert (Québec) J4R 1P8
Téléphone : 514 875-0327
Télécopieur : 450 672-5448
dominiqueetcompagnie@editionsheritage.com
dominiqueetcompagnie.com

Imprimé au Canada

Nous reconnaissons l'aide financière du gouvernement du Canada par
l'entremise du Fonds du livre du Canada et du Conseil des Arts du Canada.

Nous reconnaissons l'aide financière du gouvernement du Québec par
l'entremise du Programme de crédit d'impôt – SODEC – et du Programme
d'aide à l'édition de livres.